E l e c t r o c a r d i o g r a m

따라만 해도 쉬운
심전도

김호중, 이효주 지음

군자출판사

따라만 해도 쉬운
심전도

첫째판 1쇄 발행 | 2016년 09월 01일
첫째판 2쇄 인쇄 | 2018년 12월 20일
첫째판 2쇄 발행 | 2018년 12월 26일
첫째판 3쇄 발행 | 2023년 01월 31일

지 은 이　김호중, 이효주
발 행 인　장주연
출 판 기 획　군자기획부
편집디자인　군자편집부
표지디자인　군자표지부
일 러 스 트　일러스트부
발 행 처　군자출판사(주)
　　　　　등록 제 4-139호(1991. 6. 24)
　　　　　본사 (10881) **파주출판단지** 경기도 파주시 회동길 338(서패동 474-1)
　　　　　전화 (031) 943-1888　　팩스 (031) 955-9545
　　　　　홈페이지 | www.koonja.co.kr

ISBN 979-11-5955-087-4

정가 20,000원

저자 소개

| 김호중 |
· 순천향대학교 부천병원 응급의학과 부교수
· 연세대학교 의학박사
· 미국심장협회 ACLS instructor
· 대한심폐소생협회 KALS instructor

| 이효주 |
· 경북도립대학교 응급구조과 조교수
· 순천향대학교 의학석사
· 대한심폐소생협회 KALS instructor

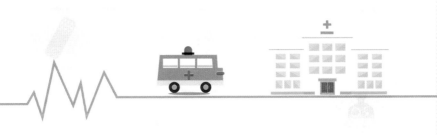

Preface

 심전도는 병원에서 간단하게, 흔히 시행되는 검사입니다. 하지만 심전도 판독만큼은 실제 진행되는 검사처럼 그리 간단하지만은 않아 어려움을 많이 느꼈을 겁니다.
 심전도 판독과 관련된 서적들이 많이 나와 있지만, 물리·화학적 개념에서부터 응급상황에서는 다루지 않는 부정맥까지 포함되어 있어 심전도를 처음 접하게 되는 학생들과 임상경험이 적은 의료인 및 의료종사자들에게는 더 어려울 수 있습니다.

 '따라만 해도 쉬운 심전도'는 만화라는 소재를 사용해 심혈관계 기초 해부·생리를 시작으로 심전도 유도, 파형, 심전도 판독 시 특히 주의해서 보아야 할 내용들을 기억하기 쉬운 방법들로 설명해주고 있습니다. 학생, 의료인 및 응급의료종사 모두가 공감할 수 있도록 한 장에 하나의 지식만 집중적으로 전달하는 방식을 채택한 것도 특징입니다. 저자들은 본 도서가 심전도 판독 초보자들에게 쉽고 재미있는 입문서가 되기를 기대합니다.

 끝으로 '따라만 해도 쉬운 심전도'가 나오기까지 함께 애써주신 군자출판사 장주연 사장님과 이현진, 이성재, 이슬희 선생님에게 진심으로 감사를 드립니다. 연구를 지원해 주신 순천향대학교 산학연구팀에게 감사드리고, 또한 이 책의 출간에 도움을 준 순천향대학교 부천병원 김한빛, 최효정 선생님 등 응급실 식구들에게도 감사의 마음을 전합니다.

2016년 8월
저자 일동

CONTENTS

PART 01

해부학

어! 안녕하세요.
선배~ 여긴
어쩐일이세요?

심전도 수업을
들으면서 교수님
수업진행도
도와드리게
됐어!

심전도 너무
어려워서
걱정이에요~

교수님 수업 듣다보면
쉽게 이해가 될거야~

안녕하세요. 심전도 수업을 맡게 된 김호중 교수 입니다.
이 수업은 심전도의 기초와 기본을 확실하게 익힐 수 있게 해줄 겁니다.
수업은 질의형식을 통해 쉽게 설명해드리는 방식으로 진행하겠습니다.
'여선배'는 수업을 진행하는데 도움을 줄 겁니다.

교수님, 심전도를 공부하기에 앞서 필요한 부분들을 간략하게 설명해주시겠어요?

먼저 심장에 대해 알고 싶어요.

심장의 해부학적 위치

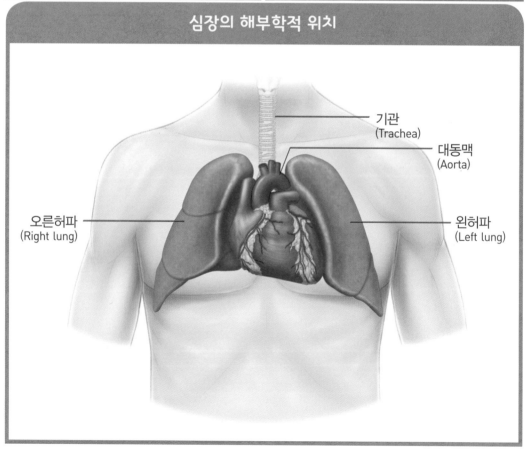

기관
(Trachea)

대동맥
(Aorta)

오른허파
(Right lung)

왼허파
(Left lung)

>>> 네, 학생이 이야기한대로 심장의 해부학에 대해 먼저
공부해 봅시다.
심장은 양쪽 폐 사이, 식도와 가슴 대동맥 앞에서
2/3정도가 왼쪽으로 치우쳐 가로막 위에 얹혀 있어요.

심장이 왼쪽으로 치우쳐 있다는 말은 축(Axis)에 대한 이야기인가요?

축이라는 건 '심장의 바닥(base)과 끝(apex)을 지나는 선' 을 말하는거죠?

심장의 장축

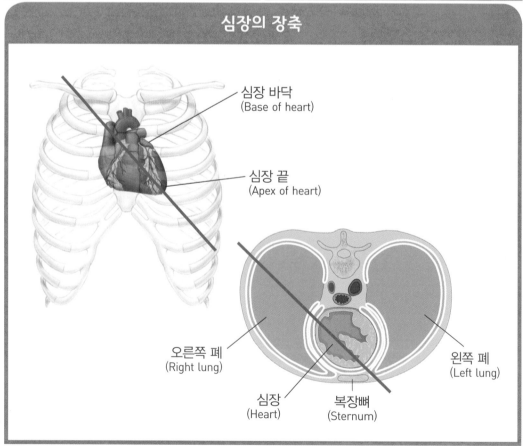

심장 바닥
(Base of heart)

심장 끝
(Apex of heart)

오른쪽 폐
(Right lung)

왼쪽 폐
(Left lung)

심장
(Heart)

복장뼈
(Sternum)

>>> 네, 심장의 장축(Long Axis)이라고 부르죠.
보통 심장에서 탈분극이 퍼져 나가는 방향을 말하며,
심장 비대라든지 허혈을 진단하는데 의미 있는 역할을
합니다. 뒤에 가서 좀 더 자세히 이야기 하도록하죠.

 Check Point

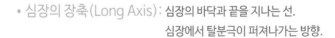

• 심장의 장축(Long Axis) : 심장의 바닥과 끝을 지나는 선.
　　　　　　　　　　　　심장에서 탈분극이 퍼져나가는 방향.

심장의 구조

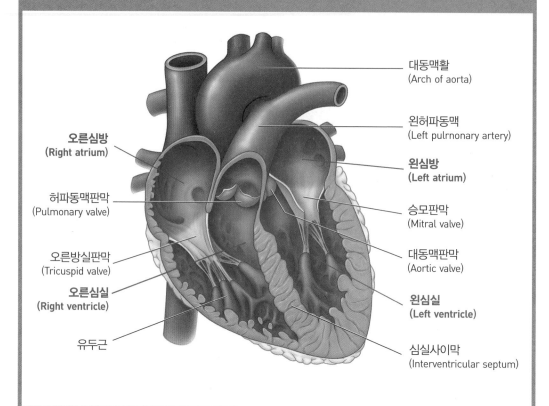

- 대동맥활 (Arch of aorta)
- 왼허파동맥 (Left pulrnonary artery)
- **오른심방 (Right atrium)**
- **왼심방 (Left atrium)**
- 허파동맥판막 (Pulmonary valve)
- 승모판막 (Mitral valve)
- 오른방실판막 (Tricuspid valve)
- 대동맥판막 (Aortic valve)
- **오른심실 (Right ventricle)**
- **왼심실 (Left ventricle)**
- 유두근
- 심실사이막 (Interventricular septum)

그렇다면 심장의 내부 구조는 어떻게 되어 있을까요?

엄청 복잡할 것 같아요. 벌써부터 머리가 아파요.

>>> 심방과 심실 그리고 심장을 이루고 있는 벽에 대한 설명을 간단하게 해줄게요.
심장은 온몸에서 오는 혈액을 받아들이는 두 개의 심방과 동맥을 통해 혈액을 내뿜는 역할을 하는 두 개의 심실, 총 4개의 방으로 구성되어 있습니다.
심장의 오른쪽과 왼쪽을 나누어 주는 벽을 심실중격 혹은 심실사이막이라고 하며 심장근육으로 되어있죠.

Check Point

- 오른심방(Right atrium) : 온몸에서 오는 혈액(정맥)을 받아들이는 곳.
- 왼심방(Left atrium) : 4개의 허파정맥에서 받은 혈액을(동맥)을 왼심실로 보내는 곳.
- 오른심실(Right ventricle) : 오른심방에서 들어온 혈액을 허파동맥으로 내보내는 곳.
- 왼심실(Left ventricle) : 동맥혈을 대동맥을 통해 전신으로 보내는 곳.

우리 몸을 구성하는 근육의 종류

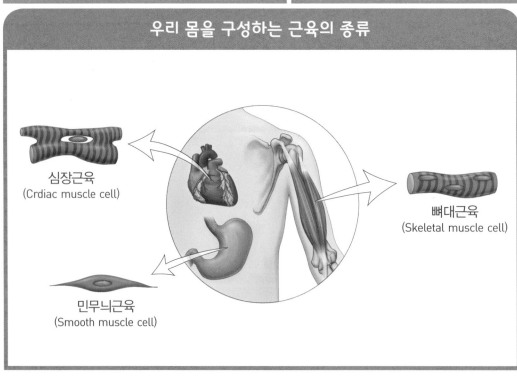

>>> 네 맞습니다. 심장의 수축을 근육이 담당하게 되는거죠.
근육이 작용하지 않는다면 섬세한 운동이든, 강력한 운동이든
모두 불가능합니다.
심장의 수축과 이완이 근육 운동 중 하나죠.
심장근육은 의지와 상관없이 수축과 이완이 가능한
자동성 또한 가지고 있습니다.
한가지 더 기억할 것은 4개의 방을 둘러싸고 있는
벽은 심실의 벽에서 심방보다 근육층이 더 두껍게
발달되어 있다는 거죠.

 Check Point

• 근육은 그 형태와 기능에 따라 크게 3가지 유형으로 분류할 수 있다.

① 뼈대근육(Skeletal muscle cell) : 몸의 뼈대계통 및 그와 연관된 구조에 부착되는 근육이다.
② 민무늬근육(Smooth muscle cell) : 여러 내장기관의 벽을 구성하는 제대로근이다.
③ 심장근육(Cardiac muscle) : 심장벽을 이루는 가로무늬근으로 심장박동에 관여하며,
제대로근으로 의지와 상관없이 수축과 이완이 가능하고, 자동성을 가지고 있다.

원칙적으로 근육 속에 혈관이 많이 분포되어 있는데, 그렇다면 심장근육에는 어떤 혈관이 있을까요?

이건 저도 들어본 것 같아요. 심장근육에는 자체혈관이 있어요.

심장의 동맥

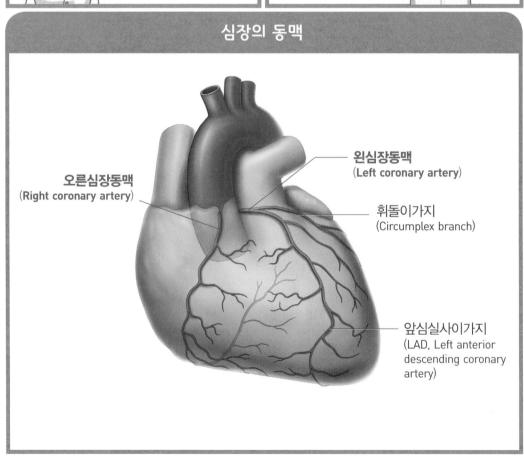

오른심장동맥
(**Right coronary artery**)

왼심장동맥
(**Left coronary artery**)

휘돌이가지
(Circumplex branch)

앞심실사이가지
(LAD, Left anterior descending coronary artery)

네 맞습니다. 심장근육에는 **심장동맥**이라고 하는 자체혈관이 있습니다. 심장동맥은 심장에 분당 200~250mL의 혈액을 공급하는 유일한 혈관입니다. 크게 좌측과 우측으로 나뉘어 왼심장동맥과 오른심장동맥이라 부르는데요.
물론 이외에도 이 중요한 혈관들을 대체할 수 있는 작은 소동맥들이 얽혀 존재하고 있습니다.
심장동맥에 대한 이야기도 뒤에 가서 심근경색과 연관해 자세히 다루도록 하죠.

교수님께서 이전에 심장이 4개의 방으로 구성되어 두 개의 심방에서는 혈액을 받아들이고, 두 개의 심실에서는 혈액을 내뿜는 역할을 한다고 하셨죠?

교수님, 심장이 어떻게 혈액을 받아들이고 내뿜게 되는지 되짚어주세요.

혈액의 순환 (1)

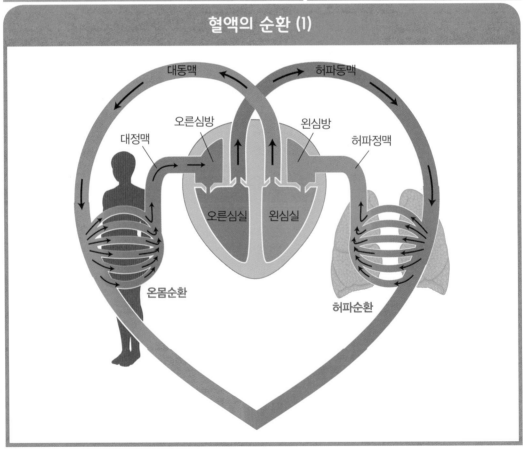

>> 그렇습니다. 심장에는 두 개의 펌프가 존재합니다.
낮은 압력 펌프인 오른심방과 오른심실을 통해
허파순환(폐순환)이 이루어지며, 높은 압력 펌프인 왼심방과
왼심실을 통해 온몸순환(체순환)이 이루어지게 되는 거죠.

오른심실
(RV, Right ventricle)

왼심방
(LA, Left atrium)

허파순환

오른심방
(RA, Right atrium)

RV

LA

왼심실
(LV, Left ventricle)

RA

LV

온몸순환

일방판막

몸을 열심히 돌고 산소와
영양분을 다 쓰고 난
정맥혈을 오른심방이
받게 되는 거죠?

맞아요.
그럼, 오른심방에서부터
설명이 필요할 것 같아요.

>>> 그래요, 오른심방에서부터 이야기해봅시다. 오른심방이 받았던 혈액은 다시 오른심실로 내려 보내지게 되죠.
오른심실이 수축하면서 오른방실판막(삼첨판)을 통해 허파동맥, 폐로 혈액을 보냅니다. 폐 모세혈관으로 이동한 이 혈액들은 가스교환으로 산소와 영양분을 가득 채운 뒤 다시 허파정맥을 통해 왼심방으로 보내지게 됩니다.
그리고 혈액은 다시 왼심실로 보내지고, 왼심실이 수축하면서 대동맥으로 혈액을 보내고 전신을 돌게하는 겁니다.

심장은 이렇게 혈액이 폐와 온몸을 돌 수 있도록 주기적으로 혈액을 담아 수축하고 이완을 하게 되는 거죠.

이런 주기적인 활동이 곧 심장박동이 되는 건가요?

혈액의 순환 (3)

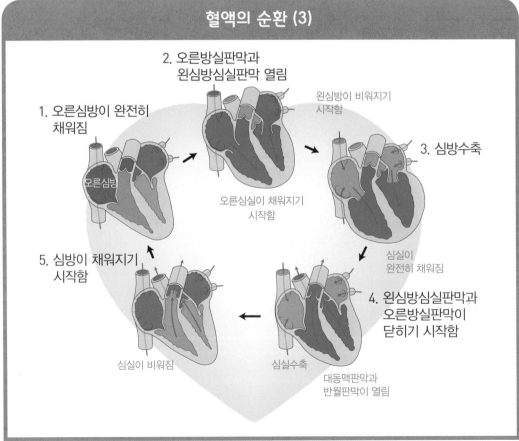

1. 오른심방이 완전히 채워짐

오른심방

2. 오른방실판막과 왼심방심실판막 열림

왼심방이 비워지기 시작함

오른심실이 채워지기 시작함

3. 심방수축

심실이 완전히 채워짐

4. 왼심방심실판막과 오른방실판막이 닫히기 시작함

대동맥판막과 반월판막이 열림

심실수축

심실이 비워짐

5. 심방이 채워지기 시작함

>>> 네 맞아요. 심실이 수축을 해서 혈액을 심실로 보낼 때 판막(왼심방심실판막、오른방실판막)의 역할이 매우 중요합니다.
심실이 수축을 하면서 폐와 전신으로 혈액을 보내고 이때 또다른 판막인 대동맥판막、반월판막이 중요한 역할을 하게 되죠.
심장박동을 하는 동안 이런 채워짐과 비워짐의 끊임없는 반복이 일어나는 것입니다.

심장의 전도계

방실결절
(AV node)

방실다발
(His bundle)

굴심방결절
(SA node)

왼갈래
(Left bundle)

왼 뒤 작은다발
(Left posterior fascicular)

결절간심방통로

오른갈래
(Right bundle)

푸르키니에 섬유
(Purkinjes fibers)

왼 앞 작은다발
(Left anterior fascicular)

심장의 근육은 어떻게 이러한 수축과 이완을 반복적으로 할 수 있을까요?

아까 배운 심장동맥이라는 자체혈관 때문 아닐까요?

>> 아닙니다. 심장에는 수많은 전기줄이 존재합니다. 심장 곳곳에 거미줄처럼 연결되어 있는 심장박동조율/전도계가 그 일을 담당하게 되죠. 전도계는 심장 전체에 분포해 일정한 간격으로 전기 흥분을 만들고 심장 전체로 전도 하며, 그 속도를 조절할 수 있는 특수한 기능을 지니죠. 크게 결절과 다발, 다발 갈래, 작은 다발형태로 구성되어 있습니다.

Check Point

- **굴심방결절(SA node)** : 심장의 수축자극을 발생시키는 주된 심장박동조율기(pacemaker)이다. 굴심방결절에서 발생된 활동전위는 즉시 심방 근육으로 전달된다.

- **방실결절(AV node)** : 심방으로 자극을 받아 심실로 전달하며, 이 기간 동안에 심방의 혈액이 충분히 심실 내로 유입될 수 있게 한다.

- **방실다발(His bundle)** : 일반적으로 방실다발에서의 전기자극으로 심방쪽으로만 전도되며, 심실 중격에서 왼·오른 갈래로 나뉜다.

- **푸르키니에 섬유(Purkinjes fibers)** : 심실근육 전체로 전기 자극을 빠르게 전도하며 심실근이 동시에 수축할 수 있도록 돕는다.

보통 굴심방결절에서 전기신호를
처음 만들게 되고, 이 신호가
심방근육을 따라 퍼지면
심방의 수축이 일어나게 됩니다.

심장의 전기 전도 순서

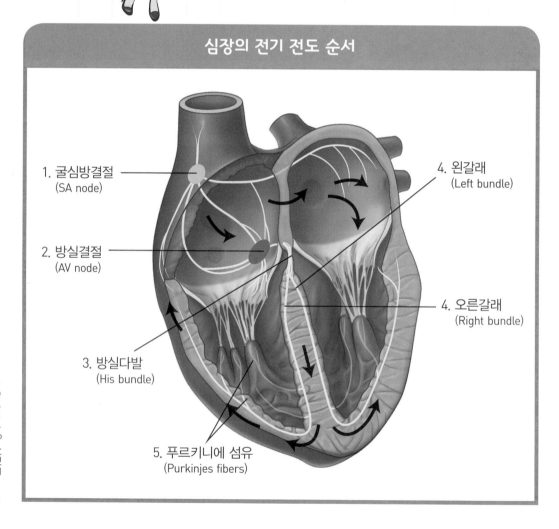

1. 굴심방결절
(SA node)

2. 방실결절
(AV node)

3. 방실다발
(His bundle)

4. 왼갈래
(Left bundle)

4. 오른갈래
(Right bundle)

5. 푸르키니에 섬유
(Purkinjes fibers)

>> 그 전기자극이 심근세포에 의해 방실 결절까지 전달되고, 방실 결절은 이 전기 자극을 심실로 전달하게 되는 거죠. 그리고 이후 심실에서 푸르키니에 섬유로 이루어진 전도계에 의해 대단히 빠른 속도로 신호가 전달되면서 심실이 수축하게 됩니다.

심실 벽으로 퍼져나간 전기자극은 굴심방결절에서 자극이 발생된지 0.2초 안에 심방 쪽으로 돌아오면서 사라지고, 동방결절은 다시 전기 자극을 만들어 다음 박동 주기를 일으키죠.

굴심방결절이 이 전기 자극을 잘 조절한다면 심장박동이 약 70회/분 정도로 유지됩니다.

굴심방결절에 문제가 생기게 되면 심장박동을 대신 조절해줄 수 있는 곳이 있나요?

심장박동조율기에 따른 심장박동 조절 속도

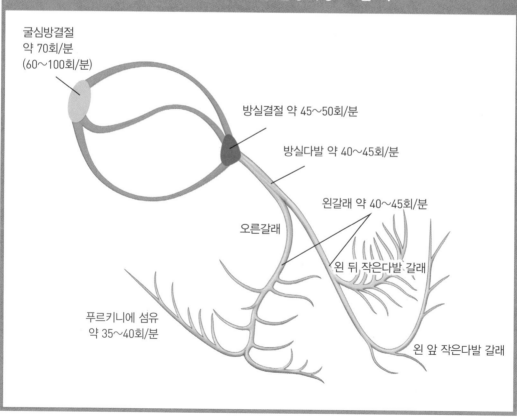

굴심방결절
약 70회/분
(60~100회/분)

방실결절 약 45~50회/분

방실다발 약 40~45회/분

왼갈래 약 40~45회/분

오른갈래

왼 뒤 작은다발 갈래

푸르키니에 섬유
약 35~40회/분

왼 앞 작은다발 갈래

>> 네 있습니다. 그림에서 보듯이 전도계의 굴심방결절、
심방세포、방실결절、방실다발、푸르키니에 섬유 모두
굴심방결절을 대신할 수는 있습니다.
하지만 심장박동 조절 속도는 누가 그 역할을 하느냐에
따라 달라질 수 있습니다.

Check Point

심장박동조율기에 따른 심장박동 조절 속도

위치	조절속도
굴심방결절	60~100회/분
심방세포	55~60회/분
방실결절	45~50회/분
방실다발	40~45회/분
다발갈래	40~45회/분
푸르키니에세포	35~40회/분
심실근육세포	30~35회/분

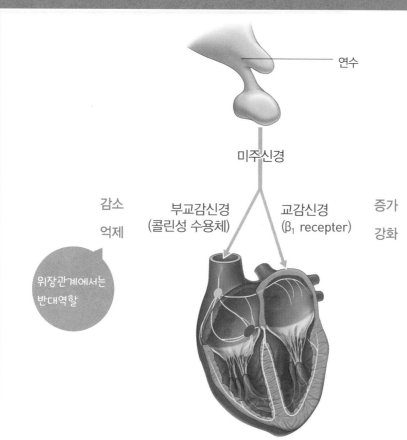

연수

미주신경

감소
억제

부교감신경
(콜린성 수용체)

교감신경
(β₁ recepter)

증가
강화

위장관계에서는
반대역할

한 가지 더 설명해주셔야 할 게 있어요. 심장박동은 앞서 이야기한 것 뿐 아니라 신경계에 의해서도 조절받게 됩니다.

자율신경계를 말하는 건가요?

24

>>> 자율신경계는 심방과 심실에 분포되어 있어 심장박동, 심장 전도계, 수축력에 많은 영향을 줍니다.

부교감 신경계는 심장의 흥분성과 자동성을 감소시켜 박동률을 감소시킵니다. 방실 결절을 통한 전기자극을 느리게 하는 거죠.

교감신경계는 반대로 자동성과 흥분성을 증가시켜 박동률을 증가시키고 심방과 심실, 특히 방실 결절을 통한 전기 자극의 전도를 증가시킵니다. 그리고 심방과 심실의 수축력을 강화시키죠. 또한 신경계는 부신 수질에 영향을 줘서 에피네프린과 노르에피네프린 호르몬 분비에 영향을 주고 심장박동수와 수축력에 영향을 줍니다.

Check Point

심장의 교감신경과 부교감신경 지배

수용체	교감	부교감
심장	β_1 수용체	콜린성 수용체
혈관	α_1 수용체	콜린성 수용체

혈관과 심장에서는 교감신경과 부교감신경의 수용체가 바뀌게 된다.

PART 02

생리학

그럼 이번에는 심장의 생리학에 대해 이야기를 해볼까요?

가장 작은 단위인, 세포부터 이야기해주세요.

인체의 구성요소

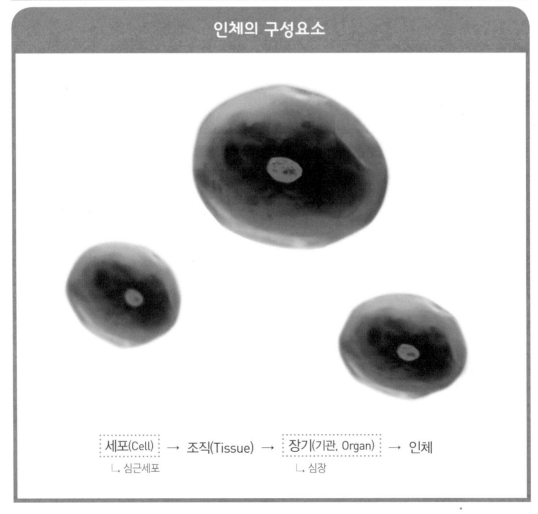

세포(Cell) → 조직(Tissue) → 장기(기관, Organ) → 인체
└ 심근세포　　　　　　　　　└ 심장

>> 그럼 심근세포부터 시작해볼까요?
심근세포는 다른 세포들과 마찬가지로 전해질이란
용액에 싸여 있습니다. 이 전해질 용액 안에는 칼륨(K)、
나트륨(Na)、칼슘(Ca)、마그네슘(Mg) 등의 이온들이
전자를 주고 받으며 살고 있죠.

그런 이온들이 전자를 주거니 받거니 하면서 심장기능에 영향을 줄 수도 있겠네요.

이온들은 전하 (음전하, 양전하)를 가진 입자로 독립적으로 이동이 가능하다고 배웠습니다.

이온의 형성

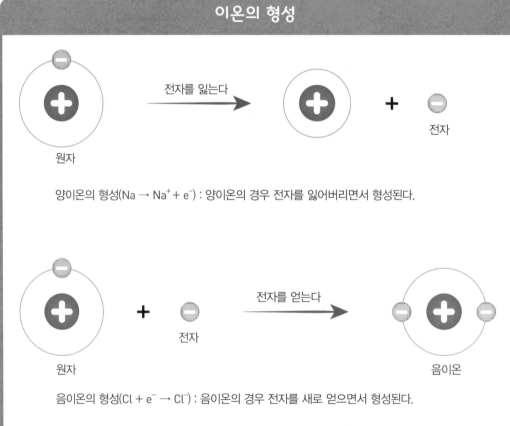

전자를 잃는다

전자

원자

양이온의 형성($Na \rightarrow Na^+ + e^-$) : 양이온의 경우 전자를 잃어버리면서 형성된다.

전자를 얻는다

원자

전자

음이온

음이온의 형성($Cl + e^- \rightarrow Cl^-$) : 음이온의 경우 전자를 새로 얻으면서 형성된다.

>>> 네, 그러한 입자들은 양전하나 음전하로 구분되고,
전해질 용액에서 반대의 전하와 짝지어 있고 싶어합니다.
그래야 중성을 유지할 수 있기 때문이죠.
이렇게 붙고 떨어지는데도 에너지가 필요하게 되며 이로 인해
전위에너지가 발생하게 되는 겁니다.

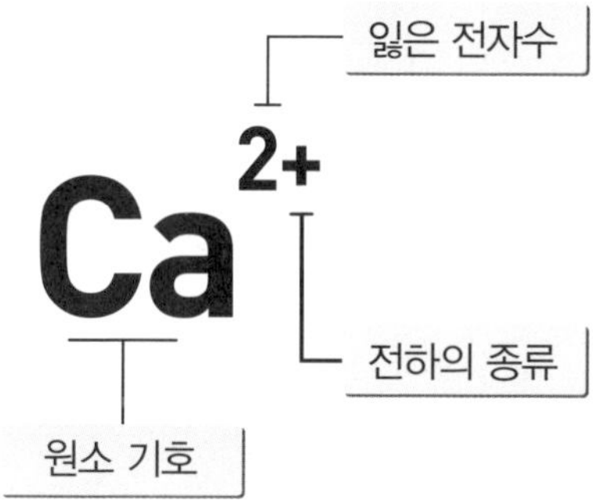

$$Ca^{2+}$$

잃은 전자수

전하의 종류

원소 기호

〈이온의 형성〉

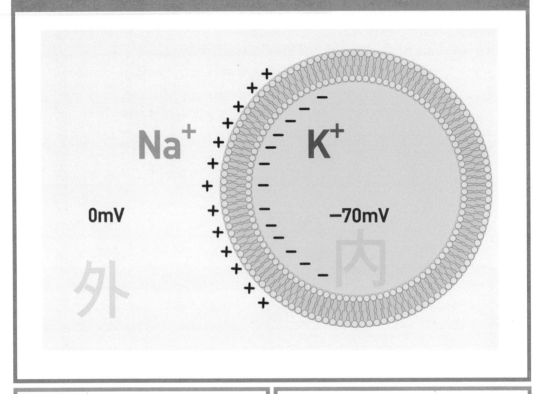

전기적 전하는 세포 안과 밖에 막전위를 만들고, 이는 밀리볼트(㎷=0.001V)로 표시합니다.

점점 머리가 아파지는데요~ 꼭 필요한 이온들에 대해서만 간략하게 설명해주세요.

>>> 심근세포에서는 보통 칼륨의 투과성이 나트륨보다 높습니다.
따라서 세포 안쪽에는 주된 양이온으로 칼륨이, 세포 바깥
쪽에는 주로 나트륨 이온이 농도 차이를 가지고 안정상태를
유지하게 됩니다.
세포 안쪽에는 PO4、SO4、단백질과 같은 세포막을 잘
통과하지 못하는 음이온이 많아 음극으로 표시되며、
세포 밖에는 칼륨이 매 순간 나가려는 현상으로 인해 약간의
양전하를 띠게 됩니다.
이러한 현상으로 세포 안은 음극으로、밖은 양극으로 분극되는
현상을 보이게 되죠.
이렇게 세포가 안정상태에 있을 때 전위차를 안정막 전위
라고 하며、-70∼-90mV로 기록됩니다.
이러한 안정막 전위로 인해 세포는 신경자극을 보낼 수
있고、이런 신경자극들이나 신체 외부 자극 등에 의해
안정막 전위가 변하면서 탈분극(분극상태를 벗어남)이
될 수 있는 거죠.

Check Point

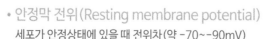

• 안정막 전위(Resting membrane potential)
세포가 안정상태에 있을 때 전위차(약 -70∼-90mV)

그러한 안정막 전위는 이온통로와 같은 세포막을 통한 **이온확산**과 나트륨-칼륨 교환 펌프 같은 세포막 사이에서 이온들의 **능동운반**에 의해 결정된다고 들었습니다.

앞에서 칼륨이 매 순간 나가려 한다고 하셨는데, 세포막의 선택적 투과성 때문인 건가요?

안정상태와 탈분극상태에서 이온의 이동

안정상태

칼륨이온의 세포밖으로 확산되려는 경향은 전위차에 의해 세포안으로 끌려오는 경향에 의해 상대된다.

K⁺
(5mEq/L)

K⁺
(140mEq/L)

Na⁺
(150mEq/L)

Na⁺
(20mEq/L)

外

内

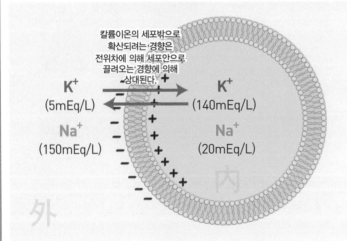

탈분극 상태

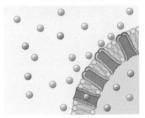

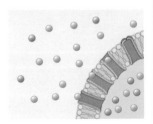

>>> 세포막은 칼륨에 대해서 어느 정도 투과성을 지니게 됩니다. 학생이 말한 선택적 투과성을 갖게 되는 거죠. 따라서 안정 시에 세포막은 나트륨 이온을 투과 시키지 않아 보통 나트륨 이온은 세포 안으로 확산되지 못합니다. 세포가 자극을 받고 탈분극 해야만 나트륨 통로가 열려 유입될 수 있게 되는 거죠(나트륨 칼륨 교환펌프).

Check Point

• 안정상태
  이온통로(세포막)를 통한 확산 (칼륨의 이동)

• 탈분극 상태
  탈분극 시 세포막 사이에서의 능동교환 (나트륨-칼륨 교환 펌프)

탈분극과 이온의 이동(1)

안정막 전위

Na⁺

0mV

外

K⁺

−70mV

内

자극

탈분극

Na⁺

활동 전위

+30mV

이렇게 자극에 의해 나트륨
통로가 열리고 세포 밖의 나트륨이
세포 안으로 다량 유입되면서 음성이
었던 세포 안이 양성으로 되어
막전압이 +30mV까지 상승하는
현상을 탈분극(Depolarization)
이라고 한다는 거죠?

갑자기 용어가
복잡해지는데요?

>> 그럼 용어 정리를 간단히 하고 넘어갈까요?
학생이 말했듯이 세포가 안정상태에 있을 때 전위차 즉, 세포 안이 음극, 세포 밖이 양성인 그 때를 안정막 전위라 합니다. 자극으로 인한 나트륨 유입으로 인해 세포 안이 양성이 되면서 막 전압이 30mV가 된 현상을 탈분극이라고 하며, 이 탈분극에 의해 발생하는 막 전압을 활동 전위라 부르는 거죠. 한가지 더 세포막을 탈분극 시킬 정도로 자극의 크기가 강할 때 이를 역치 전위라 부른다는 것도 알고 넘어갑시다. 이런 역치 전위 이상의 자극이 주어지면, 폭발적인 투과성의 변화가 일어나서 세포 막 전체가 영향을 받게 됩니다.

Check Point

- 안정막 전위(Resting membrane potential)
  세포가 안정상태에 있을 때 전위차

- 탈분극(Depolarization)
  자극에 의해 나트륨이 유입되면서 세포 안이 양성(30mV)이 되는 현상

- 활동 전위(Action Potential)
  탈분극에 의해 발생하는 막 전압

- 역치 전위
  세포막을 탈분극 시킬 정도의 자극, 전압 값

이해를 돕기 위해 좀 더
간략하게 설명해 주시겠어요?

탈분극과 이온의 이동(2)

안정막 전위 (투과성)

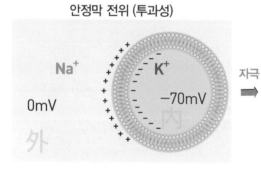

Na⁺

0mV

外

K⁺

−70mV

内

자극

탈분극 (Na⁺, k⁺ pump)

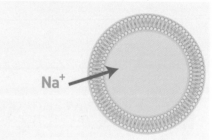

Na⁺

활동 전위

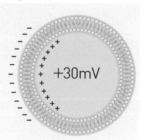

+30mV

(계속)

≫ 세포막의 선택적 투과성에 의해 세포 안은 주로 칼륨 이온이, 세포 밖은 나트륨 이온이 안정상태를 이루며 −70~−90mV라는 안정막 전위로 있게 됩니다. 여기에 흥분과 같은 자극이 가해지면 나트륨 통로가 열리고 나트륨이 그 통로를 통해 세포안으로 유입되는 탈분극 과정을 거치게 되면서 30mV로 활동 전위가 바뀌게 되는 거죠.

그 후에는 전압변화에 민감한 세포막의 칼륨 통로가 열리면서 세포 안의 칼륨이 밖으로 많이 확산되고 세포 안쪽이 다시 음극으로 돌아가는 재분극 현상이 일어나게 되는 거죠?

재분극이요?

재분극과 이온의 이동

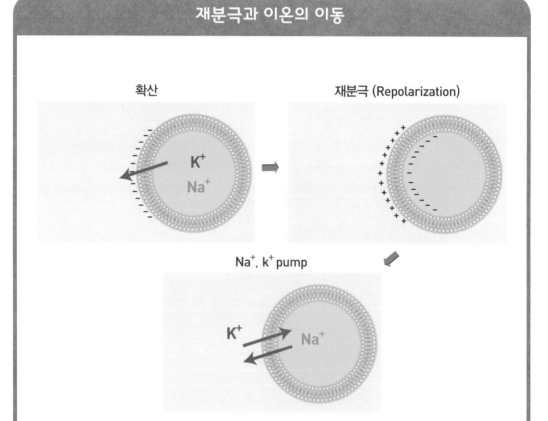

확산

재분극 (Repolarization)

K⁺
Na⁺

Na⁺, k⁺ pump

K⁺   Na⁺

>>> 네 맞아요. 재분극된 후에 더 이상 자극을 받지 않는
부위에서는 에너지를 소비하면서 나트륨 칼륨 펌프작용에
의해 세포 내로 유입된 나트륨을 밖으로 배출 시킵니다.
대신 세포 밖의 칼륨은 세포 내로 받아들이게 되면서
다시 안정막 전위를 이루게 되는 거죠.

4단계의 심장활동전위

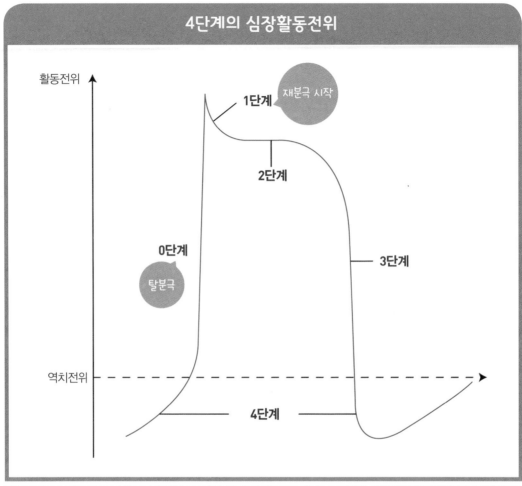

이런 심장 활동 전위 (action potential)는 0~4단계 혹은 5단계로 나눌 수 있고 위의 그림 같이 그려볼 수 있습니다.

우와!

>>> 지금까지 설명한 내용을 다른 방식으로 옮겨놓았다고
생각하면 쉬울 것 같군요. 이때 특이한 것은 최고로
흥분상태 일 때 Cl과 Ca가 유입이 된다는 거죠.

- ⊘ 0단계: Na 유입, 최고흥분
- ⊘ 1단계: Cl 유입
- ⊘ 2단계: Ca 유입, 유지기
- ⊘ 3단계: K가 유출되는 단계

아직 심전도 파형에 대한 설명을
시작하진 않았지만 아래의 그림처럼
심전도와 연관지어 보면서 설명해주세요.

심장활동전위와 심전도 파형

mV

1단계

+20

1단계

2단계

0

2단계

0단계

-20

3단계

0단계

3단계

-40

-60

역치막전위
(Threshold Membrane Potential)

-70

안정막전위
(Resting Membrane Potential)

-80

4단계

-90

-100

ECG   QRS군   T파   QRS군   T파

0 04 08 12 16 20   40   60   80   초

➤➤➤ 0단계에 세포가 빠른 탈분극을 시작하고 수축을 합니다. 나트륨 통로를 열어 세포 안으로 나트륨이 들어가게 하는 동안 일어나는 시기죠.

나트륨이 들어오면 칼륨이 세포 밖으로 나간다 말했었죠? 이게 1단계인 초기 재분극을 말하는 겁니다.

그리고 약간의 시간 동안 양이온의 유출 양과 유입 양이 균형을 이루는 시기가 생기게 되며 이 시기가 수축을 마치고 이완을 시작한다는 의미로 해석될 수 있어요. 이것이 2단계입니다.

세포 안이 음전기가 되는 동안 휴식 수준인 -90mV로 되돌아가고 재분극 시기라 부르게 되죠. 3단계가 되는 겁니다.

4단계 때 세포막은 나트륨 칼륨 펌프기전이 활성화 되면서 나트륨은 다시 세포 밖으로, 칼륨은 세포 안으로 이동되어 다시 안정막 전위가 유지됩니다.

어렵지만 이제는 좀 이해가 되나요?

PART 03

사지유도와
흉부유도

오늘은 심전도 검사가
어떻게 진행되는지
살펴보는 실습시간이야.

심전도에 대해 생각하니
제 심장도 떨리네요.

심전도 검사
해본 적 있으세요?

이전에 건강검진 받을 때
해본 적 있어.
좀 떨리더라~

쓸데없는 소리 말고
실습실로 가자.

심전도..
한번쯤은 병원에서
찍어봤을 거 같은데요.

어! 저 사진 많이 봤어요.
초창기 심전도 같은데…
만든사람이 무슨 축구팀
이름이었는데…

에인트호벤(Willem Einthoven)의 심전도

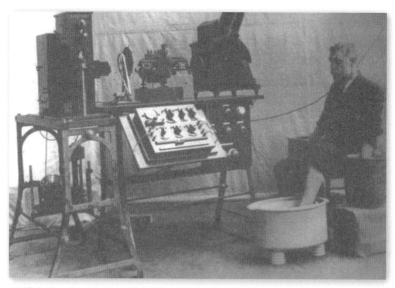

사진출처: from Burch, De Pasqvale, A History of Electrocardio graphy p.33[14]

>> 네, 많이 알고 있을 거예요.
1900년대 에인트호벤(Willem Einthoven)에 의해
발명된 초창기 심전도 입니다. 처음에는 손과 발을
사진처럼 물 속에 담가 표준유도만을 가지고 심전도를
기록했었죠.
이후 에인트호벤은 심전계라고 부르는 기기를 탄생시켰습니다.

지금은 에인트호벤이 찾아낸 표준유도
뿐만 아니라 사지유도, 흉부유도를 이용해
심전도 검사를 시행하고 있어요.

오늘날의 심전도 검사

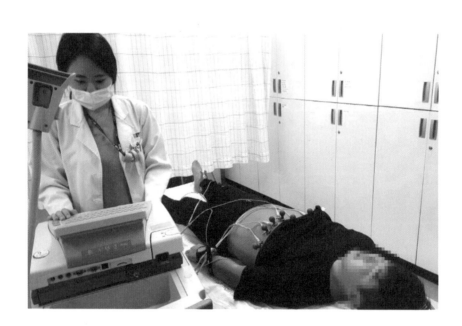

≫ 에인트호벤이 발견한 표준유도부터 흉부유도까지 유도에 대한 이야기를 시작하기 전에 알고 넘어가야 할 개념이 있어요. 바로 벡터에 관한 이야기입니다.

벡터란
크기와 방향을 동시에
나타내는 물리량이죠.

과학시간에 배웠던
기억이 나요.

벡터와 심실의 모든 벡터의 합

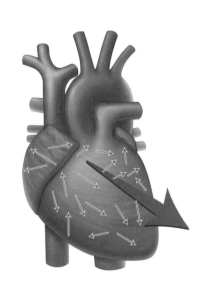

심실의 모든 벡터의 합 = 심장의 전기적 축

벡터

$$\overset{2}{\longleftarrow} + \overset{2}{\longrightarrow} = 0$$

$$\overset{2}{\longrightarrow} + \overset{2}{\longrightarrow} = \overset{4}{\longrightarrow}$$

벡터의 합

심장에는 수많은 벡터들이 존재하고 그 심실 벡터의 합을 우리는 전기적 축이라고 부르게 됩니다.
즉, 심장에서 탈분극이 퍼져 나가는 방향, 혹은 전기 자극이 이동하는 방향이 되는 겁니다.

여기에도 -와 +가 있나요?

탈분극 방향에 따른 기록

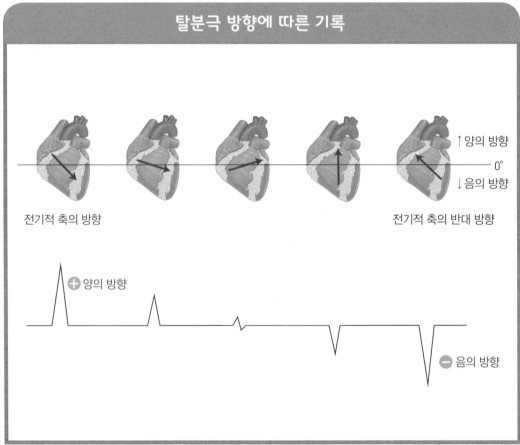

↑ 양의 방향

0°

↓ 음의 방향

전기적 축의 방향

전기적 축의 반대 방향

➕ 양의 방향

➖ 음의 방향

⟫ 이 전기적 축을 기준으로 보았을 때, 같은 방향으로 탈분극
되면 양의 방향으로, 반대 방향으로 탈분극되는 경우
음의 방향으로 기록된다고 보시면 됩니다.
더 자세한 각도에 대한 이야기는 본 챕터 끝부분에서
다시 언급하겠습니다.

이 전기적 축을 바라보는 방향에 따라서도 벡터의 크기와 방향이 다르게 보여질 수도 있겠네요.

다양한 유도와 탈분극

≫ 여기에서 유도의 개념을 이야기 할 수 있겠네요.
유도는 각자 바라보는 방향에서 나타내는 것을 그림으로
그린 것을 말합니다.
따라서 심장의 전기적 활동은 변하지 않지만
유도에 따라서 양성의 전극의 위치가 변하는 겁니다.
결국 심전도의 모양도 달라지게 되는거죠.

아직도 유도를 잘 모르겠어요.

사지유도와 흉부유도

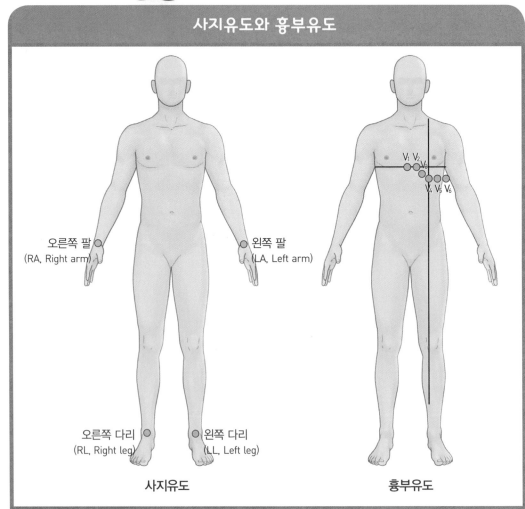

오른쪽 팔
(RA, Right arm)

왼쪽 팔
(LA, Left arm)

V₁ V₂
V₃

V₄ V₅ V₆

오른쪽 다리
(RL, Right leg)

왼쪽 다리
(LL, Left leg)

사지유도

흉부유도

≫ 심전도 유도는 에인트호벤이 발견한 표준유도(Standard lead)와 이 표준유도에 중앙단자를 연결해 전기적 신호를 증폭시켜 얻게 되는 (증폭)사지유도(Augmented lead)와 가슴에 전극을 붙인 흉부유도로 나뉘게 됩니다.
간략하게 사지유도(Lead Ⅰ、Ⅱ、Ⅲ、AVL、AVR、AVF)、흉부유도(V₁∼V₆)로 나뉠 수도 있죠.
유도는 양극과 음극의 짝. 즉、전극의 한쌍을 의미합니다.

Check Point

- 심전도 유도
  ① 사지유도(Augmented lead, Extremity lead)
    팔과 다리에 전극을 연결해서 만든 유도 Lead Ⅰ, Ⅱ, Ⅲ, AVL, AVR, AVF

  ② 흉부유도(Precordial lead)
    가슴에 전극을 연결해서 만든 유도 V_1, V_2, V_3, V_4, V_5, V_6

잘 이해가 안가요.
어디에 붙이는거죠?

사지유도와 흉부유도의 세부 위치

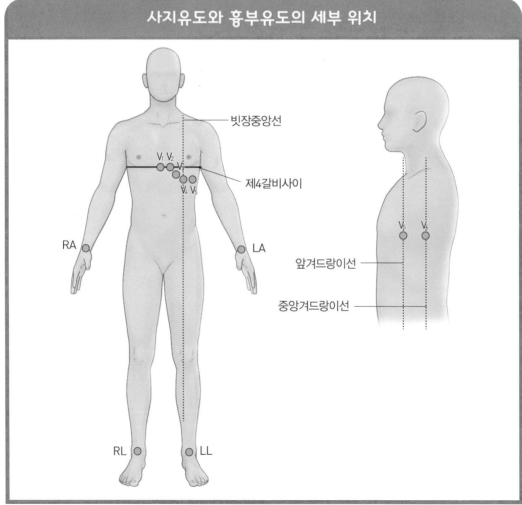

빗장중앙선

제4갈비사이

RA

LA

앞겨드랑이선

중앙겨드랑이선

RL

LL

심전도 왕초보 탈출하기

>>> 사지유도와 흉부유도를 붙이는 방법은 아주 간단해요.
사지유도는 앞서 보여준 그림에서 RA、LA、RL、LL에
해당되며 보통은 팔과 다리에 붙이게 되죠.
흉부유도는 가슴에 전극을 붙여 얻게 됩니다.
흉부유도의 V_1 전극은 4번째 갈비사이와 오른쪽 복장뼈
가장자리가 만나는 지점에、V_2 전극은 V_1 전극 바로 옆인
4번째 갈비사이와 왼쪽 복장뼈 가장자리가 만나는 지점에
붙여줍니다. V_3를 붙이기 전에 V_4부터 붙여주게 되는데요.
V_4를 5번째 갈비사이와 빗장중앙선이 만나는 지점에
붙여준 후 V_3를 V_2와 V_4사이에 붙여줍니다.
자、그럼 이제 V_5와 V_6만 남았네요.
V_5는 V_4와 동일선상에서 앞겨드랑이선과 만나는
지점에、V_6는 V_4와 동일선상에서 중간겨드랑이선과
만나는 지점에 붙여줍니다.

Check Point

• 흉부유도 위치
  · V_1 : 4번째 갈비사이 + 오른쪽 복장뼈 가장자리
  · V_2 : 4번째 갈비사이 + 왼쪽 복장뼈 가장자리
  · V_3 : V_2와 V_4 사이
  · V_4 : 5번째 갈비사이 + 빗장중앙선
  · V_5 : V_4 level + 앞겨드랑이선
  · V_6 : V_4 level + 중앙겨드랑이선

그럼 사지유도로 관찰할 수 있는
심장의 방향은 어느 쪽인가요?

심장에서 사지유도의 방향

A

유도 I (X축)

AVF (Y축)

B

AVR

AVL

유도 I (X축)

유도Ⅲ

유도Ⅱ

>>> 자 우선 위의 A에서 처럼 심장위에 X축과 Y축을
그려봅시다. X축은 유도Ⅰ, Y축은 AVF 입니다.
그리고 위의 B에서 처럼 심장 위에 넓은 X, 좁은 X를
그려봅시다. 넓은 X의 오른쪽은 AVR, 왼쪽은 AVL,
좁은 X의 오른쪽은 유도Ⅲ, 왼쪽은 유도Ⅱ 입니다.

방향에 대한 이야기는 뒤에 가서 이야기합시다.
사지유도에서 벡터를 찾아 심장에 올려 놓고 보게 되면
각각 다른 방향에서 관찰이 가능한 축 시스템이 완성됩니다.
각각의 유도가 바라보는 심장의 방향이 달라 다양한 각도의
심장 관찰이 가능해지는 겁니다.

심장에서 사지유도로 표시된 6축 시스템

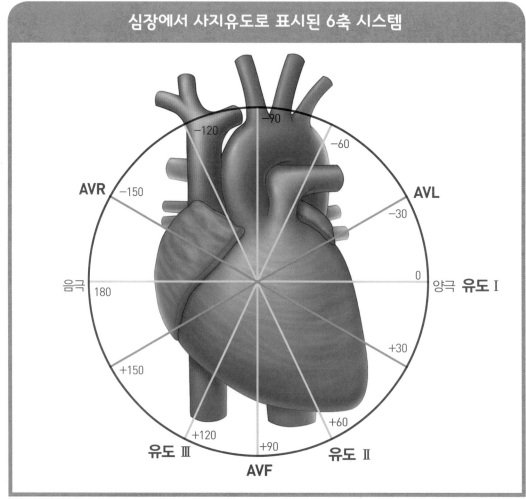

≫ 맞습니다. 앞에서 이야기한 내용을 종합한 그림입니다.
이 그림을 이해하시면 사지유도는 끝입니다. 사지 유도에서
각 유도의 간격이 30도가 되며 마치 시계를 보는 것과
유사한 360도 모양을 나타냅니다.
단, 중요한 것은 각 유도마다 음극과 양극이 있다는 사실!

이번에는 흉부유도에 대해 좀 더 설명해 주세요.

아! 드라마에서 뽁뽁이처럼 생긴 것을 가슴에 붙이는 것을 본 적이 있어요.

심장에서 흉부유도의 방향

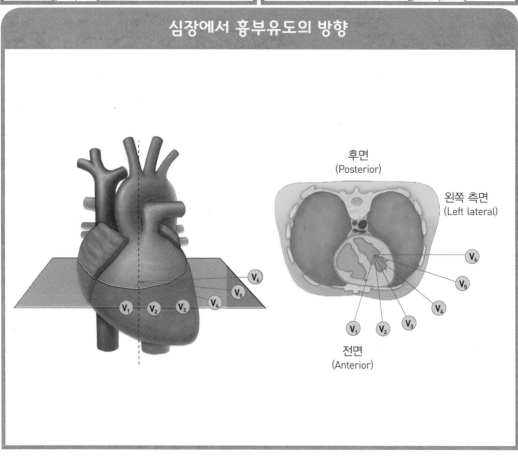

흉부유도의 경우 전흉부에 심장을 따라 수평으로 부착한
유도로 좌심실과 심실 중격을 관찰하는데 유용하게
사용되죠.
앞에서 설명한 정확한 흉부유도의 위치도 알아두면 좋겠죠?

Check Point

• 흉부유도 위치
앞에서 설명한 흉부유도 위치 Check Point(61p) 참조.

PART 04

심전도 용지

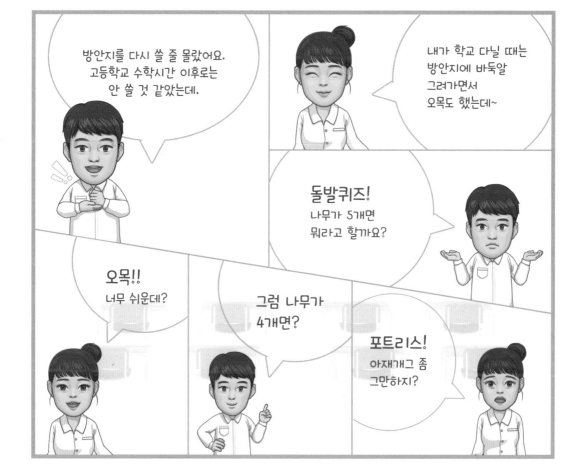

방안지를 다시 쓸 줄 몰랐어요.
고등학교 수학시간 이후로는
안 쓸 것 같았는데.

내가 학교 다닐 때는
방안지에 바둑알
그려가면서
오목도 했는데~

돌발퀴즈!
나무가 5개면
뭐라고 할까요?

오목!!
너무 쉬운데?

그럼 나무가
4개면?

포트리스!
아재개그 좀
그만하지?

이건 뭘까요?

방안지 아닌가요?

심전도 용지

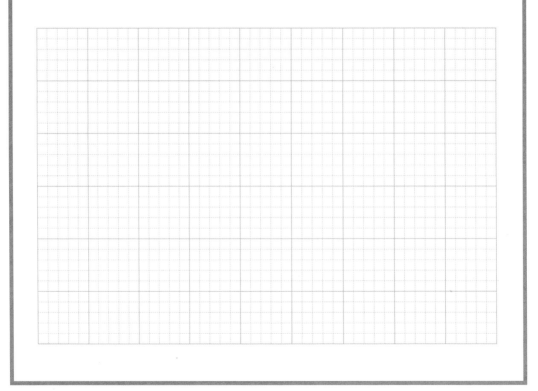

맞아요. 이것은 심전도가 그려지는 용지입니다.
1mm 간격의 수평선과 수직선으로 이루어져 있고,
보통 5mm마다 굵은 선이 있게 됩니다.
수평선은 시간을, 수직선은 전압을 의미하게 되죠.

이건 구역이 나뉘어 있네요?

심전도 용지에서 표시되는 유도의 위치

3초

6초

9초

12초

I	AVR	V₁	V₄
II	AVL	V₂	V₅
III	AVF	V₃	V₆

Rhythm strip (유도 II)

≫ 맞아요. 심장의 12방향을 한 번에 그린 그림이에요.
약 3초 정도간 심장의 전기적 활동을 보여줍니다.
일부 심전도 기기에서는 심장의 전기적 축 방향과 동일한
유도II를 제일 하단에 12초 동안 추가로 기록하기도 하죠.

방안지 한 칸 한 칸을 자세히
설명해주세요.

심전도 용지

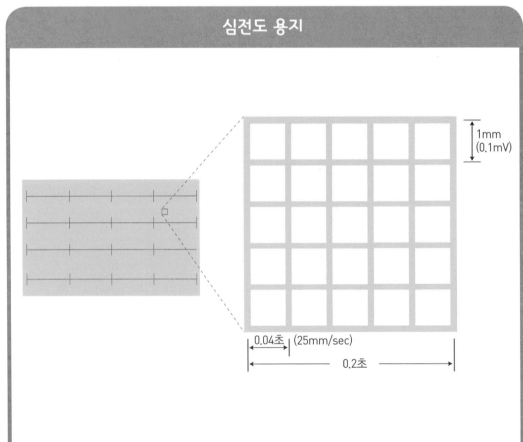

1mm
(0.1mV)

0.04초 | (25mm/sec)

0.2초

>>> 네, 보통 방안지는 1mm의 작은 사각형이 5개가 모여
굵은 큰 사각형을 이룬다 말했습니다.
여기서 1mm의 작은 사각형은 0.04초를, 5mm의
굵은 큰 사각형은 0.2초를 의미하게 되는 거죠.
전압의 경우 높이에 해당하는 것으로 작은 사각형 한 칸당
1mm(0.1mV)입니다. 다섯개의 작은 사각형이 모여,
큰 사각형 한 칸이 됩니다. 이 경우 5mm(0.5mV)로
나타나게 됩니다.

자를 이용한 심전도 간격 측정

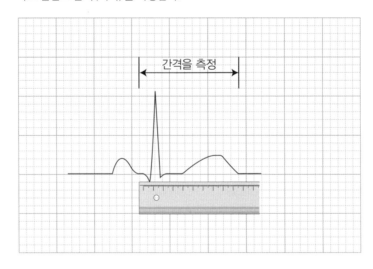

자로 심전도 간격(거리)를 측정한다.

'자'를 사용하여 심전도 파형의 너비 등을 측정할 수 있다.

≫ 그래요. 자를 통해 수평선의 길이를 측정할 수 있죠.
우리는 이것으로 심장에서 전기 전도 시간이 늦어지거나
빨라지는 등의 정보를 얻을 수가 있게 되는 겁니다.

PART 05

심전도 파형

심전도 파형 하면
떠오르는 것이
있니?

으~~
말만 들어도 머리가
아파오네요.

의학드라마 보면
모니터에 표시되는
그래프가 떠올라요~

다들 이전 내용은
숙지하고 있죠?
오늘부터 심전도파형이
나오니까 집중해서 들으세요.

맞아. 그 모니터에
나오는 파형에 대해
배울거야.

이제 드디어
심전도 그림이네요.

맞아요. 드디어 등장했네요.
파형 그림을 보니 반가운 모양이네요.
아래는 심장주기에서 전도계가
탈분극되는 순서대로 심전도 파형이
형성되어서 만들어진 그림이에요.

심장의 전기활동과 심전도 파형

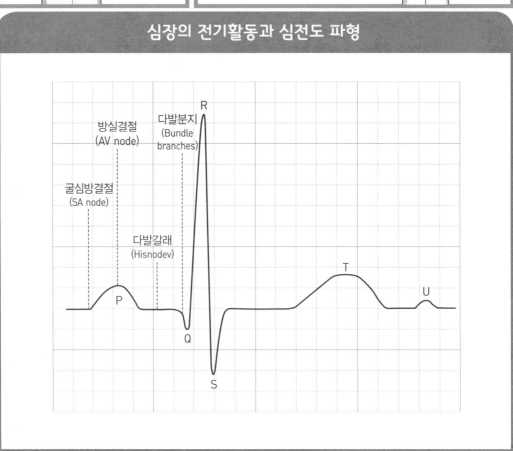

심전도 쉽게 해도 되는 심전도

>> 심장박동조율/전도계에서 제일 먼저 전기적신호를 보내는 곳이 굴심방결절이죠? 하지만 실제 이 때 나타나게 되는 전기적 활동은 너무 작아 심전도에 기록되지 않을 수 있어요. 어찌됐든 굴심방결절의 자극으로 심방이 수축을 하면서 P wave가 심전도에 기록되며 방실결절과 다발결절(히스 속), 다발 분지 차례로 자극이 전달되면서 심실이 수축하고 Q、R、S wave가 QRS complex로 한 번에 그려지게 되죠. 심실은 활동이 커 이완되면서도 심전도에 기록되어지는데 이때의 파형을 T wave라 부릅니다.

 옆의 파형을 연필로 따라 그려보세요

심전도 파형과 간격, 분절

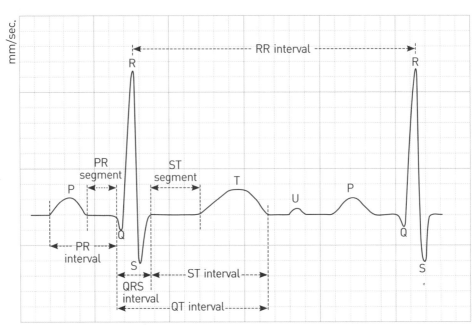

mm/mV 1square = 0.04 sec/0.1mV

앞에서 그려봤는데
간격없이 쭉 그리면
되나요?

심전도는 파형 말고도
각각의 간격(Interval),
분절(Segment)도 의미가
있어요.

>> 네, 기본 파형은 P wave, QRS complex,
T wave로 구성되어 있지만 간격과 분절에 대한
부분도 정리해보겠습니다.
이 부분에 대해서는 이제부터 하나씩 살펴보겠습니다.

✏️ 옆의 파형을 연필로 따라 그려보세요

두 심방의 **탈분극**
즉, 수축을 의미하는 **P wave**부터
정리해주시죠.

심방의 탈분극, P wave

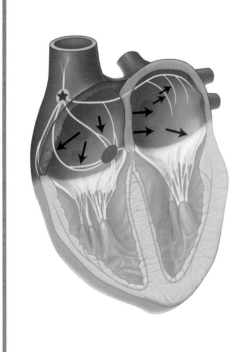

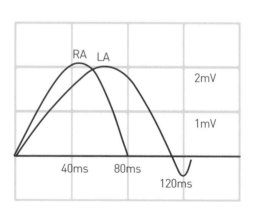

>> 굴심방결절이 오른심방에 위치하고 있어 P파의 처음 부분은
오른심방의 탈분극을 나타낸다고 볼 수 있습니다.
P파의 끝부분은 왼심방 탈분극이 끝났음을 나타내죠.
정상 P파형의 경우,
폭이 0.08~0.11초 이하(3칸)、
높이가 2.5mm(2.5칸) 이하가 됩니다.

P wave의 경우 정상 폭과 높이는 각각 3칸과 2.5칸만 암기하면 되겠네요?

유도Ⅱ에서 그려지는 P wave의 모양

정상

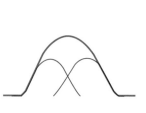

오른심방흥분   왼심방흥분

오른심방부하(비대)

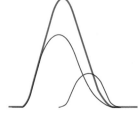

왼심방부하(비대)

≫ 폭과 높이가 판독의 기본이 되지만, 모양도 잘 비교해봐야
합니다. 모양을 보고 오른심방부하와 왼심방부하, 비대 등의
심방 문제를 진단할 수 있게 되죠.
아! 그리고 P wave가 항상 QRS complex 앞에
나오는지도 꼼꼼히 살펴 봐야겠죠?

P wave 다음으로 이어지는 PR interval은 심실이 수축하기 전까지 즉, 심방부터 심실근육까지의 자극전도 시간입니다.

어! 이름은 PR인데 R wave와는 상관이 없네요.

방실결절 전도시간, PR interval

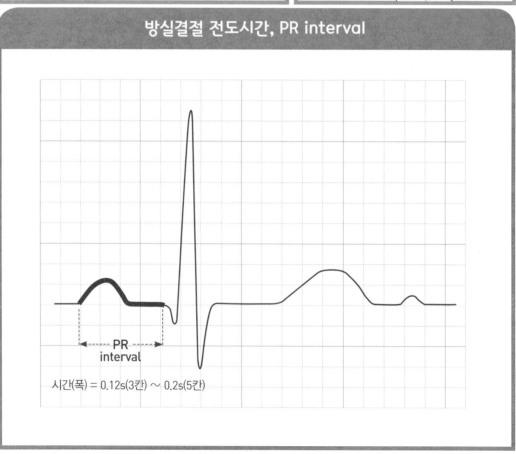

PR interval

시간(폭) = 0.12s(3칸) ~ 0.2s(5칸)

알기쉬운 심전도

네, 맞습니다. PR interval이란 대부분 방실 결절 전도 시간을 말하며 정상 시간은 0.12초(3칸)에서 0.2초(5칸)정도가 되죠.
정상보다 빠른 경우(3칸 이하) 방실결절의 전도가 촉진되고 있음을 의미하며, 5칸 이상으로 늘어지게 되는 경우 방실결절의 전도에 장애가 있음을 알 수 있습니다.

심실의 탈분극, QRS complex

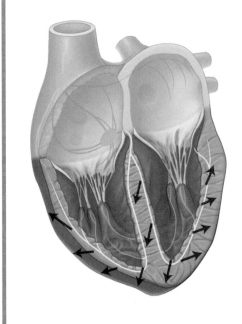

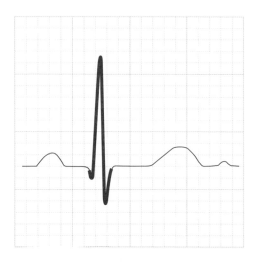

그리고 나서 방실 결절로부터 나온 전기적 자극이 푸르키니에 섬유와 심실의 심장근육 세포 내로 전도되는 과정이 QRS complex로 그려지게 되는 거예요.

심실 수축을 이야기 하는 건가요?

네. 맞습니다. 심실 전체로 전기가 퍼져나간 뒤에
심실이 수축하는 것을 나타내는 그림입니다.
QRS complex의 경우 폭(시간)과 높이, 모양을 보고
판독하게 되며,
정상에서 폭(시간)은 0.06초~0.10초,
높이는 20mm미만(사지유도), 30mm미만(흉부유도)
입니다(3칸).

우와! QRS complex 모양이
이렇게 다양한가요?

다양한 모양의 QRS complex

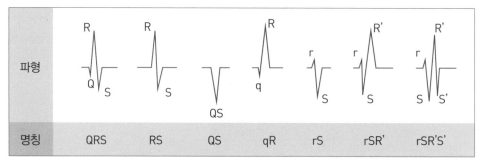

파형							
명칭	QRS	RS	QS	qR	rS	rSR'	rSR'S'

정상 QRS complex의 모양은 첫번째 그림으로 각 파형의 크기가 작아지는 경우 소문자 q,r,s 등으로
표시할 수 있다.

≫ QRS complex 폭(시간)에 이상이 생긴 경우 심실 내 전도장애를 의미하며, 높이에 이상이 생긴 경우 심실의 압력이나 용량 부하 등이 원인이 되어 나타날 수 있습니다. 모양의 이상은 심근 경색 등이 원인이 되어 나타날 수도 있죠. 옆의 그림은 여러 가지 QRS complex의 모양을 보여주고 있습니다.

✅ R wave는 처음 기록된 상향파이다.
✅ Q wave는 R wave 앞에 기록된 하향파이다.
✅ S wave는 R wave 다음에 기록된 하향파이다.
✅ R' wave는 S wave 다음에 기록된 상향파이다.

ST Segment는 심전도에서 기본이 되는 P wave, QRS complex, T wave 만큼이나 중요하죠.

아무 파형도 없는데 도대체 뭐가 중요하죠?

ST segment

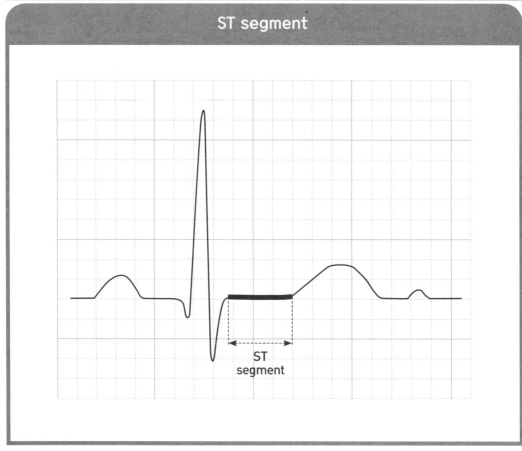

ST
segment

>>> 그렇지 않습니다.
임상적으로 ST segment는 매우 중요합니다.
이것은 좌우 심실이 전기적으로 흥분되어 있는 상태에서,
심실 재분극이 시작되기까지의 시간인데 심근경색에서
중요하게 다루어지는 부분이죠.
물론 다른 파형에서도 이상이 생길 수 있지만 급성 심근경색의
경우, ST segment에서 변화가 특징적이기 때문에
잘 알아둬야겠죠.

자세한 언급은 뒷 장에 가서 더 이야기 하도록 하겠습니다.

심실의 재분극, T wave

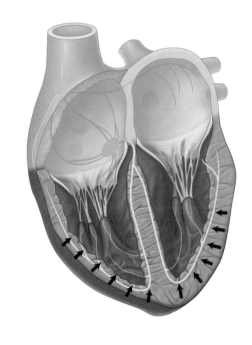

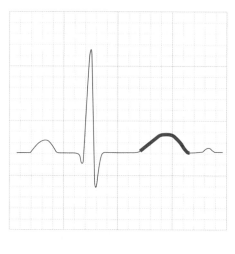

마지막으로 T wave에
대해 설명해주시겠어요?

우와!
이제 마지막 인가요?

네, 거의 다 왔네요.
T wave는 심실의 이완(재분극)을 나타내는 파형입니다.
전해질의 이상과 심근경색 등을 판독할 때 보게 되는
파형이죠. 방향과 높이, 모양을 중심으로 판독하게 됩니다.
방향은 QRS complex와 같은 방향으로 기록되며,
모양은 둥글고 약간 비대칭한 모습을 띠게 되죠.
높이는 사지유도에서 5mm(5칸)이하,
흉부유도에서는 10mm(10칸)이하입니다.

그런데 교수님, 간격이
너무 외울게 많아요.

간단한 방법이 있죠.
3-5-3-5-10.

심전도 파형

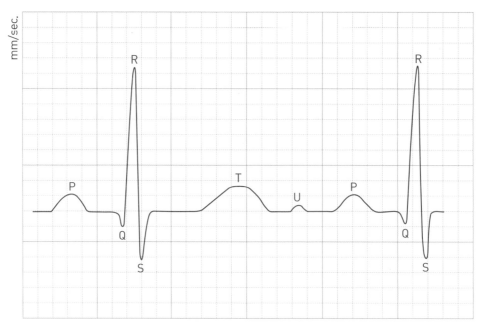

mm/mV 1square = 0.04 sec/0.1mV

≫ 완벽한 공식은 아니지만 외우기 쉽게 간격에 대해 요약해보겠습니다.

3-5-3-5-10
3-5-3-5-10
첫 번째 3은 P wave의 3칸
두 번째 5는 PR간격의 5칸
세 번째 3은 QRS complex 간격 3칸
네 번째 5는 T wave 높이 5칸(사지유도)、10칸(흉부유도)

☆ 기억하기 쉽겠지요? 3-5-3-5-10

PART 06
정상 PPQRST

자 그럼, 지금까지 배운 내용을 토대로 정상 심전도와 비정상 심전도를 판독하는 방법에 대해 이야기해볼까요?

근데 이건 뭐죠?

심전도 판독법, PPQRST

PPQRST... PPQRST... PPQRST...

Pulse의(심장박동수)

P wave와 PR interval의

Q wave와 QRS complex의

Regularity의

ST segment의(규칙성)

T wave의

>>> 일종의 임호입니다.
자 따라 해볼까요? "PPQRST…. PPQRST…"
기억하기 쉽게 만들어 보았습니다.
꼭 PPQRST순서대로 판독할 필요는 없지만 최소한
PPQRST에 해당되는 항목들은 정상인지 비정상인지
구분할 수 있어야 합니다.
PPQRST.. 잊어버릴 일 없겠죠?

✏️ 기억해서 써넣으세요

❤️ P =

❤️ P =

❤️ Q =

❤️ R =

❤️ S =

❤️ T =

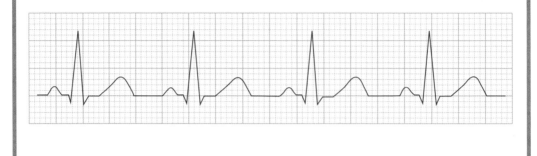

그럼 **심장박동수**를 나타내는 Pulse의 P부터 시작해 보겠습니다.

교수님,
정상 심장박동수(P)는
어떻게 되나요?

>> 정상 심장박동수가 60~100회/분이란 것은 모두가
알고 있을 텐데요.

60회/분 이하인 경우 느린맥으로
100회/분 이상인 경우는 빠른맥으로 구분하게 됩니다.

 Check Point

• 심장박동수
 · 정상 : 60~100회/분
 · 비정상 : 60회/분 이하 "느린맥" (Bradycardia)
         100회/분 이상 "빠른맥" (Tachycardia)

그렇다면 심전도에서 심장박동수를 측정하는 방법 알아요?

그게 왜 필요하죠? 심전도 기계에서 다 나오지 않나요?

심장박동수 계산하기

| 300 | 150 | 100 | 75 | 60 | 50 |

알기 쉬운 심전도

맞습니다. 요즘에는 심전도 기계에서 다 표시가 되어 나오죠. 하지만 심전도를 보고 쉽게 계산할 수 있는 방법이 있어 소개해드리겠습니다.
QRS complex의 R wave를 이용하는 방법입니다.

"300-150-100-75-60-50" 따라 해볼까요?

"300-150-100-75-60-50"

300-150-100-75-60-50 교수님
다 외웠는데 그 다음은요?

심장박동수 계산하기

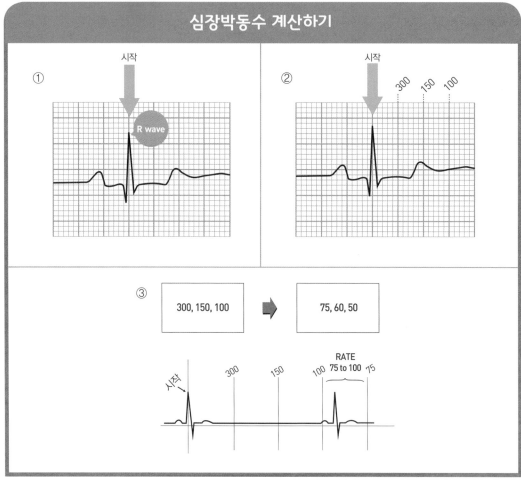

① 시작

R wave

② 시작

300 150 100

③ 300, 150, 100 ➡ 75, 60, 50

시작 300 150 100 RATE 75 to 100 75

자, 그럼 이제 "300-150-100-75-60-50"을 활용해 심장박동수를 계산해 보겠습니다.
① 두꺼운 실선 위에 겹치는 R wave를 찾아보세요.
② R wave와 겹치는 두꺼운 실선 다음의 두꺼운 실선에 "300-150-100-75-60-50"이라는 숫자를 차례대로 붙여보세요.
③ 다음의 R wave가 나타나는 곳을 보면 심장박동수를 알 수 있게 됩니다.

옆 그림의 심전도 심장박동수가 대략 75~100회 사이에 있음을 알 수 있습니다.

P wave의 'P'

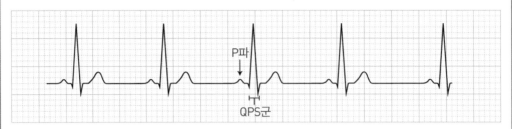

- QRS complex의 앞에 정기적으로 위치한다(P wave 유무와 QRS와의 1:1 비율).
- 넓이 0.12초 미만, 높이 2.5mm미만이다.

두 번째 P인 P wave와
PR interval의 기준들도
알아볼까요?

P wave 먼저 설명
해주세요.

>>> P wave는 앞에서 설명했던 것처럼 오른심방과 왼심방의 탈분극을 의미합니다. 재분극은 전기적 에너지가 너무 작아 심전도에는 심방의 탈분극만이 기록되게 되죠. P wave는 보통 둥근 모양으로 QRS complex 앞에 위치하고 심장박동수가 빠를 때는 T wave에 묻혀 구분이 쉽지 않을 수도 있습니다.

이러한 점을 참고해 보면 정상 P wave는 QRS complex와 1:1비율로 넓이가 0.12초(작은 칸 3개) 미만, 높이 2.5mm(작은 칸 2.5개) 미만 안에 그려지죠.

P의 또 다른 PR interval의
정상 기준은 어떻게 되죠?

PR interval의 'P'

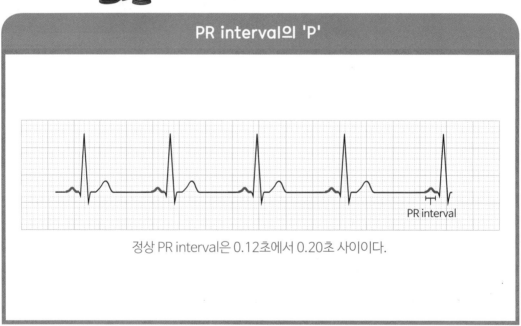

PR interval

정상 PR interval은 0.12초에서 0.20초 사이이다.

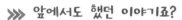 앞에서도 했던 이야기죠?

PR interval은 P wave에서 QRS complex 시작 직전까지를 이야기 합니다.

방안지의 작은 칸, 3칸에서 5칸 사이 간격이 정상 범위에 해당됩니다.

PR interval은 심방부터 심실근육까지의 자극전도시간으로, 보통 심장박동수와 방실결절 전도 특성에 따라 좌우된다고 볼 수 있죠.

3칸 이하인 경우 전도가 촉진된 것으로, 5칸 이상인 경우 전도 장애가 발생된 것으로 볼 수 있겠죠.

세 번째인 Q에서 Q wave, QRS complex의 기준을 살펴보겠습니다.

Q wave만 따로 보내요?

Q wave의 'Q'

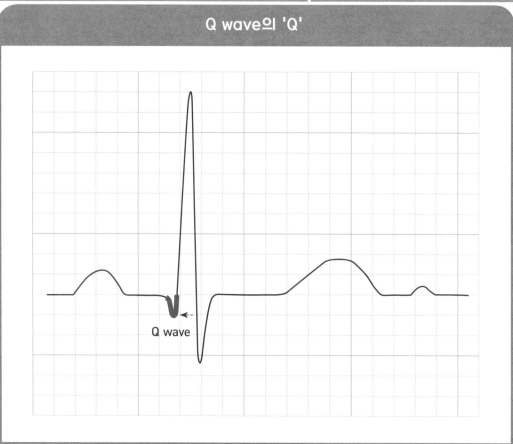

Q wave

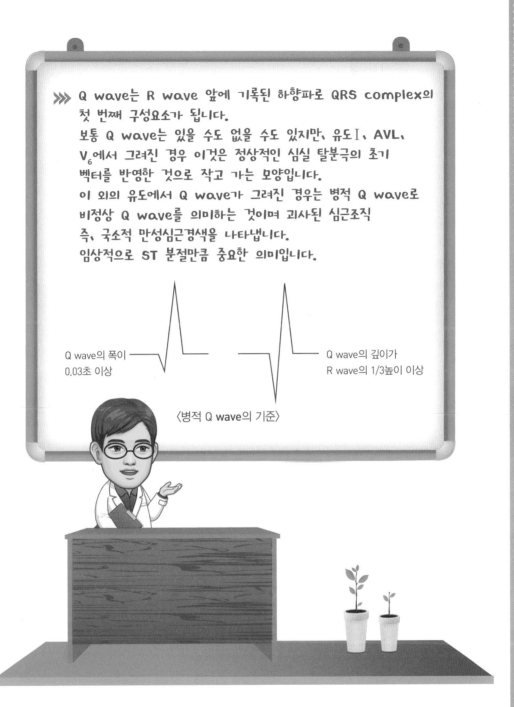

>>> Q wave는 R wave 앞에 기록된 하향파로 QRS complex의
첫 번째 구성요소가 됩니다.
보통 Q wave는 있을 수도 없을 수도 있지만, 유도Ⅰ、AVL、
V_6에서 그려진 경우 이것은 정상적인 심실 탈분극의 초기
벡터를 반영한 것으로 작고 가는 모양입니다.
이 외의 유도에서 Q wave가 그려진 경우는 병적 Q wave로
비정상 Q wave를 의미하는 것이며 괴사된 심근조직
즉、국소적 만성심근경색을 나타냅니다.
임상적으로 ST 분절만큼 중요한 의미입니다.

Q wave의 폭이
0.03초 이상

Q wave의 깊이가
R wave의 1/3높이 이상

〈병적 Q wave의 기준〉

QRS complex는 앞에서
말씀하신 것과 같은 거죠?

QRS complex의 'Q'

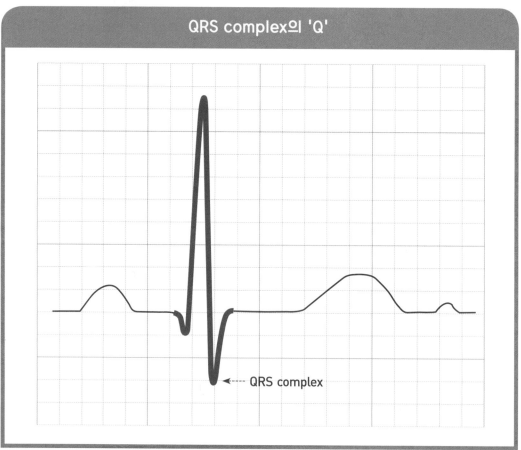

QRS complex

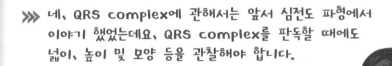

>> 네, QRS complex에 관해서는 앞서 심전도 파형에서
이야기 했었는데요, QRS complex를 판독할 때에도
넓이, 높이 및 모양 등을 관찰해야 합니다.

QRS complex는 일반적으로 3개의 개별적인 파로
구성되어 여러 가지 모양으로 그려질 수 있습니다.
Q wave는 비록 한 개만 존재할 수 있지만
R wave와 S wave는 한 개 이상 존재할 수
있다는 사실도 기억해두면 좋겠죠?

Check Point

• QRS complex
  · 넓이는 0.06~0.10초
  · 높이는 사지유도에서 20mm 미만, 흉부유도에서 30mm 미만이다.
  · P파와 1:1비율로 나타난다.

네 번째인 R(Regularity)은 규칙성을 이야기하는데 R-R interval을 보면 쉽게 판독할 수 있겠네요.

Regularity의 'R'

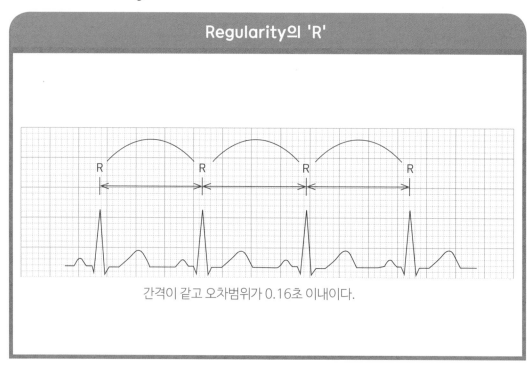

간격이 같고 오차범위가 0.16초 이내이다.

>> 네, R-R interval 거리가 같다면, Regularity는 규칙적이라고 판독할 수 있습니다. 물론 0.16초 이내의 오차는 생길 수 있어요.

R-R interval이 불규칙(Irregular)한 경우, 비정상 심전도 소견으로 불규칙하게 불규칙한 경우와 주기적으로 불규칙한 경우로 또 나뉠 수 있죠.

다섯 번째인 S는
ST Segment를
나타내는 거예요.

아! 알아요, 앞에서 배웠어요.
심근의 허혈이나 손상을
반영하는게 맞죠?

ST segment의 'S'

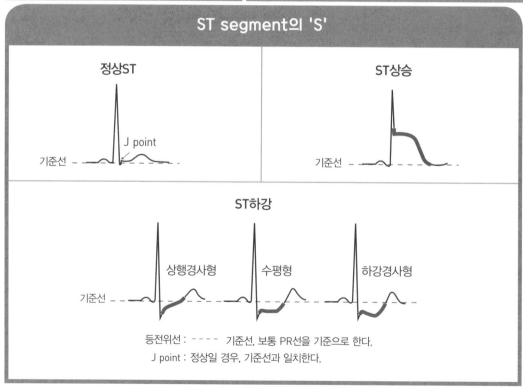

정상ST

J point

기준선

ST상승

기준선

ST하강

상행경사형 수평형 하강경사형

기준선

등전위선 : ---- 기준선, 보통 PR선을 기준으로 한다.
J point : 정상일 경우, 기준선과 일치한다.

>>> ST segment는 심실의 탈분극과 재분극 사이를 반영하는 부분이 됩니다. J지점에서 T wave의 시작 지점까지를 ST segment로 측정하게 되죠.

일반적으로 ST segment의 하강은 허혈의 징후가 되며, 상승한 경우는 심근 손상의 징후가 됩니다.

Check Point

- **ST segment**
  - 간격: 0.05초~0.15초
  - 높이: 거의 기준선과 일치하지만 사지유도에서는 -0.05~0.1mV, 흉부유도에서는 0.2~0.3mV 정도의 상승은 정상이다.

- **J point**
  QRS complex 끝과 ST segment 시작 사이 지점.

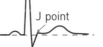

J point

T wave의 'T'

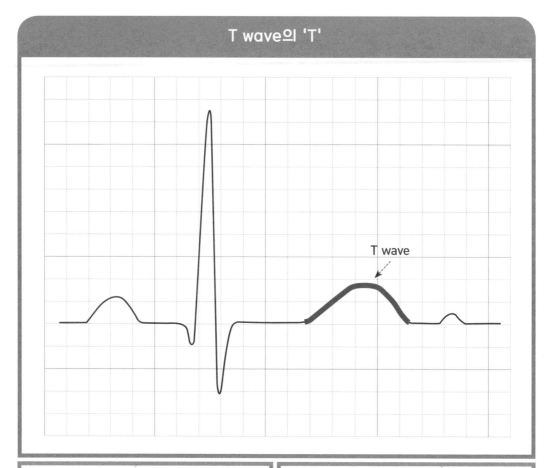

T wave

여섯 번째 T(T wave)를 판독할 때는 방향, 모양, 높이를 중심으로 봐야 하는데요.

아 이것도 생각나요. 심실이 이완되는 것을 이야기 하는거죠. 그런데 T wave가 이상하면 뭐가 문제인거죠?

>>> 비정상 방향을 보이는 경우 T wave가 역전되었다는 표현을
사용하게 되며 종종 허혈이나 심실이 비대해졌음을
시사하는 소견이 됩니다.
T wave의 모양이 대칭적으로 그려지는 경우 또한
비정상 소견으로 허혈, 전해질 불균형 및
중추 신경 장애 등에 의해 그려질 수 있죠.
높은 T wave도 확실한 비정상 소견으로 허혈, 경색,
중추신경 질환, 고칼륨혈증과 관련되어 그려집니다.

Check Point

- T wave
  - 방향: 유도Ⅰ, 유도Ⅱ, V$_{3~6}$에서는 상향, AVR에서는 하향으로 QRS complex와
    같은 방향으로 기록된다.
  - 모양: 둥글고 약간 비대칭이다.
  - 높이: 사지유도에서는 5mm 이하, 흉부유도에서는 10mm 이하이다.

PART 07

비정상 PPQRST

드디어 마지막 시간이네요.

이번 학기도 끝나가는구나.

이제 병원가서 실습해야할 큰 산이 남아 있는데 걱정이에요.

그래도 이번에 들은 심전도 수업이 병원 실습할 때 큰 도움이 될 거야.

네! 그럼, 마지막까지 힘내 볼까요?

☞ 비정상 P, Pulse
심박동수가 60회 미만이거나 100회가 초과된 것을 말한다.

◈ 대표적인 부정맥
① 동성 서맥(Sinus bradycardia)
② 동성 빈맥(Sinus tachycardia)
③ 동성 휴지/정지(Sinus pause/arrest)

꼭알아야할 중요 심전도

이번에는 속도에 관한 이야기군요.

맞아요.
속도는 느리거나
빠른 경우가 있겠죠.

심장에서 속도는 매우 중요합니다.
정상 속도에 대해서는 앞에서 열심히 배웠죠.
이제부터는 심장의 비정상 속도에 대해
알아봅시다.

그럼 속도와 관련된 부정맥은 무엇이 있을까요?

심장박동수가 60회/min 이하인 경우 대표적인 부정맥으로는 **동성 서맥** (Sinus bradycardia)이 있습니다.

동성 서맥(Sinus bradycardia)

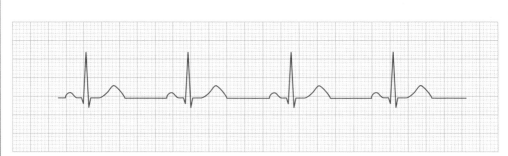

⊘ P : **60회/분 이하**로 느린맥

⊘ P : 정상

⊘ Q : 정상

⊘ R : 규칙적

⊘ S : 정상

⊘ T : 정상

⊘ 다른 부정맥이 동반될 경우 <u>P</u>뿐 아니라 <u>PQRST</u> 모두에 변화를 보일 수 있다.

>> 동성 서맥은 건강한 사람에서도 자주 발견될 수 있는
흔한 부정맥 중에 하나입니다.
굴심방결절의 박동 속도 저하로 유발될 수 있죠.

그 반대는요?

동성 빈맥(sinus tachycardia)이 있는데 반대로 굴심방결절 박동 속도 증가로 발생될 수 있는 부정맥이에요.

동성 빈맥(Sinus tachycardia)

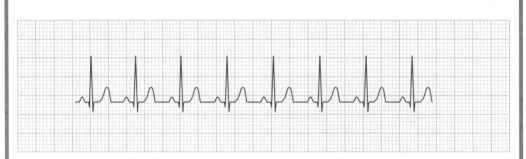

- P : **100회/분 이상**으로 빠른맥

- P : 정상

- Q : 정상

- R : 규칙적

- S : 정상

- T : 정상

- 다른 부정맥이 동반될 경우 P뿐 아니라 PQRST 모두에 변화를 보일 수 있다.

≫ 일반적으로 건강한 사람에서 발생한 동성 빈맥은
임상적으로 크게 중요하지는 않습니다.
특별히 치료를 필요로 하지도 않죠.
하지만 다른 질환이나 부정맥과 연관되어 나타날 때는
중요한 문제가 될 수 있어요.

동성 휴지/정지(Sinus pause/arrest)

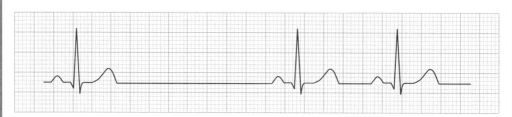

- P: **불규칙**
- P: 정상(동정지 기간에는 나타나지 않는다.)
- Q: 정상(동정지 기간에는 나타나지 않는다.)
- R: **불규칙**
- S: 정상(동정지 기간에는 나타나지 않는다.)
- T: 정상(동정지 기간에는 나타나지 않는다.)

또 다른 건 없나요?

한 가지 더 이야기하자면, 동성 휴지/정지 (Sinus pause/arrest)가 있어요. 이것 또한 비정상 pulse의 대표적인 부정맥이에요.

≫ 굴심방결절 자동능에 문제가 생기면서 발생할 수 있으며,
짧은 시간 동안 심정지를 유발하게 됩니다.
심정지가 유발되는 시간이 길어지면 그만큼 심박출량이
줄어들 수 있고 위험할 수 있겠죠?

☞ 비정상 P, P wave

① P wave는 QRS complex 앞에서 보이지 않는다.
② P wave와 QRS complex의 비율이 1:1이 아니다.
③ 폭이 0.12초 이상이거나 높이 2.5mm 이상이다.

☞ 비정상 P, PR interval
간격이 0.12초 미만이거나 0.20초 이상인 경우

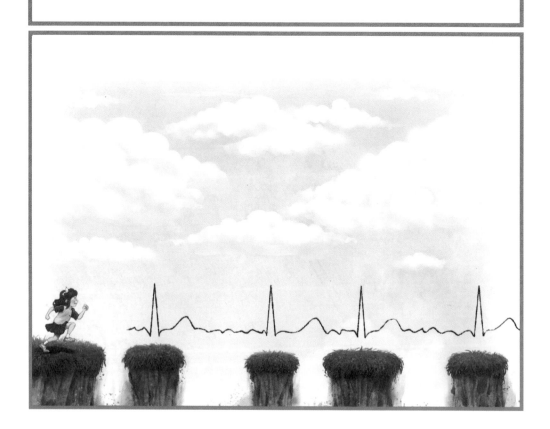

여기서 P는
무엇을 말하는 거죠?

이번에는 P wave와
PR interval에 관한
내용입니다.

이와 관련된 대표적인 부정맥은 아래와 같습니다.
① 다소성심방빈맥(Multifocal atrial tachycardia)
② 심방조동(Atrial flutter)
③ 심방세동(Atrial fibtillation)
④ 발작성 상심실성빈맥(AVNRT)
⑤ WPW 증후군(AVRT)
⑥ 방실차단

P wave를 판독할 때 모양을
주의해서 보아야 해요.
기억하고 있나요?

아 그렇군요.
모양이 정말 다양
하네요.

다소성 심방빈맥(Multifocal atrial tachycardia)

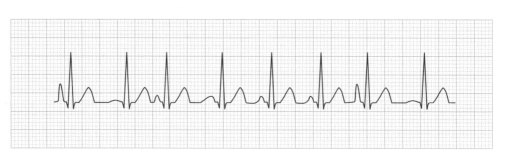

- P : 100~140회/분
- P : 3가지 이상의 **다양한 형태의 P wave / 다양한 PR interval**
- Q : 정상
- R : **불규칙한 형태**
- S : 정상
- T : 정상

≫ 다양한 형태의 P wave가 관찰되는 경우, 대표적으로 관찰될 수 있는 있는 부정맥이 다소성 심방빈맥(Multifocal atrial tachycardia)입니다.

주로 심한 폐질환 환자에서 발견되는데 이 경우, 원인 교정을 반드시 해줘야 해요. 그렇지 않으면 환자가 불안정해질 수도 있어요. 또한 약 20%정도에서 1도 방실차단이 동반될 수 있으며, 다양한 PR interval이 나타날 수 있습니다.

심방 조동(Atrial flutter)

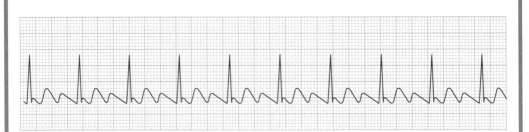

- P : 각각 다른 심실박동수와 심방박동수
- P : 톱니 모양의 조동파/ 변하기 쉬운 PR interval
- Q : 정상
- R : 보통은 규칙적
- S : 정상
- T : 정상

심방 조동(Atrial flutter)도 비정상 형태의 P wave를 보이는 부정맥 중에 하나예요.

모양뿐만 아니라 QRS와의 비율도 달라진다고 들었어요.

심방 조동은 심방 내 빠른 회귀 때문에 발생하게 됩니다. 즉, 심실이 수축하기도 전에 다시 심방이 수축해 발생되는 거죠. 심실 수축과 심방 수축의 비율은 2:1이 가장 흔하지만 3:1, 4:1, 그 이상의 전도 비율도 흔히 나타날 수 있습니다. 이 때 환자는 일반적으로 가슴 두근거림, 호흡곤란, 가슴통증, 무력감 등의 증상을 호소할 수도 있어요.

심방 세동(Atrial fibrillation)도
흔한 부정맥 중 하나죠.

이건 정말
불규칙한데요!

심방 세동(Atrial filorillation)

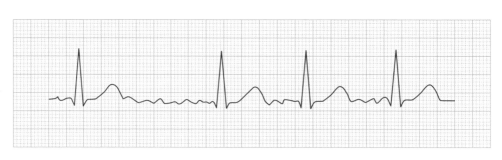

- ✅ P : 심실박동수와 심방박동수가 불규칙한 형태
- ✅ P : 불규칙한 모양의 세동파/ PR interval은 판독 불가
- ✅ Q : 정상
- ✅ R : 불규칙한 형태
- ✅ S : 정상
- ✅ T : 정상

따라하면 해결 되는 심전도

≫ 심방에 무질서한 박동이 생성되면서 발생되는 부정맥입니다.
심방 세동에 의해 굴심방결절의 활동이 완전히 억제되죠.
가장 문제가 될 수 있는 있는 합병증은 뇌졸중과 같은
혈관질환입니다.
심방 내 혈전이 생기면서 뇌졸중 발생 위험을 높이게 되죠.

방실결절 회귀성 빈맥(Atriventricular nodal reentrant tachycardia)

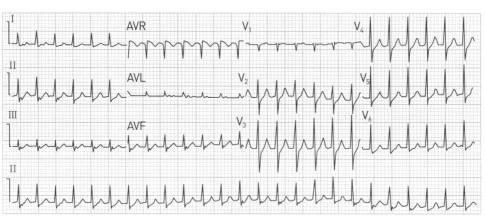

- ⊘ P : 150~250회/분
- ⊘ P : P wave 는 자주 T wave, QRS complex 등에 가려져 확인이 쉽지 않다.
  PR interval은 다양할 수 있다.
- ⊘ Q : 정상
- ⊘ R : 규칙적
- ⊘ S : 정상
- ⊘ T : 정상

이번에는 발작성 상심실성빈맥
(PSVT, Paroxysmal Supra-
ventricular tachycardia)
부정맥에 대해 이야기
해볼까요?

이건 규칙적이면서
빠른데요?

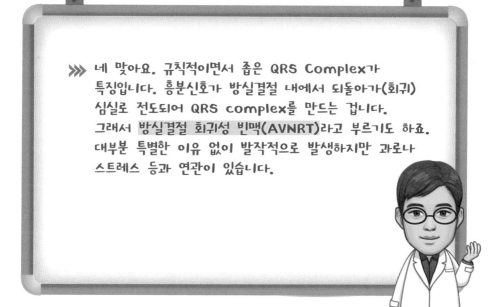

>>> 네 맞아요. 규칙적이면서 좁은 QRS Complex가
특징입니다. 흥분신호가 방실결절 내에서 되돌아가(회귀)
심실로 전도되어 QRS complex를 만드는 겁니다.
그래서 방실결절 회귀성 빈맥(AVNRT)라고 부르기도 하죠.
대부분 특별한 이유 없이 발작적으로 발생하지만 과로나
스트레스 등과 연관이 있습니다.

 **Check Point**

방실 결절 내에는 속도가 전도되는 2가지 길이 있습니다.
빠른 길과 느린 길이라고 이름 붙여볼게요. 평상시에는 주로 빠른 길을 통해 신호가 전달되면서
조절되죠. AVNRT 부정맥에서는 신호가 느린 길로 잘못 전도되면서 빠른 길이 비정상적으로
계속 자극이 되고, 이로 인해 방실 결절 내에서 전기신호가 빙글빙글 도는 거예요.
전기 신호가 돌면서 심방과 심실로 전기 자극을 빠르게 전달해 발생되는 것이 부정맥인거죠.

그럼 이번에는 WPW 증후군(Wolff Parkinson White Syndrome)에 대해 설명해주세요.

이건 QRS complex 모양이 이상하네요.

방실 회귀성 빈맥(Atroventricular reentrant tachycardia)

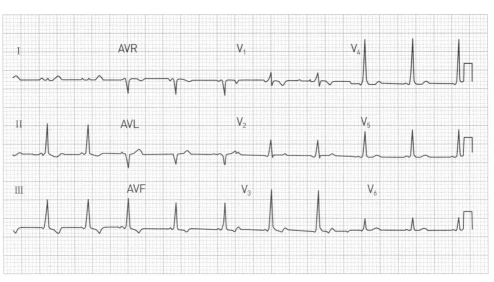

- ❤ P : 발작성 빈맥 동반 ±
- ❤ P : 정상 P wave/ **짧은 PR interval**
- ❤ Q : **wide QRS complex / Delta wave 존재**
- ❤ R : 규칙적인 형태
- ❤ S : **비정상**
- ❤ T : **비정상**

≫ 심방과 심실 사이에 비정상적인 전기회로 즉, 부전도로 kent가 존재해 이 통로로 전기적 신호가 먼저 전달되어 심실근육이 일찍 흥분하는 부정맥입니다.
방실 회귀성 빈맥(AVRT)에 포함되는 부정맥이죠.
정상 전도에 비해 심실을 일찍 자극시켜 조기흥분증후군 이라고 부르기도 하죠.
따라서 PR interval이 짧아지고 Delta wave가 생기면서 QRS complex 모양에도 이상이 생기죠.
비교적 예후는 양호한 편이고, 돌연 심장사 가능성은 0.5% 미만으로 보고 있어요.

전도장애에서도 PR간격이
비정상일 수 있는데요.

차단을 말하는
건가요?

≫ 심장에서 전기전도의 지연이나 차단이 일어날 수 있어요.
심장차단의 위치는 심방의 굴심방결절과 방실결절사이,
심실의 방실결절에서 푸르키니에섬유 사이 어느 곳에서도
발생이 가능합니다. 원인으로는 방실접합부의 허혈, 괴사,
전도계의 변성 질환, 전해질 불균형, 약물 독성 등이 있습니다.

방실차단의 유형

① 1도 방실차단(1st degree AV block)
② 2도 방실차단
　　Mobitz Ⅰ, 2nd degree AV block
　　Mobitz Ⅱ, 2nd degree AV block
③ 3도 방실차단(완전방실차단, 3rd degree AV block)

심방과 심실 사이에 있는 방실결절에서 이러한 차단이 있는 경우 정도에 따라 크게 3가지로 나뉘게 되죠.

헉!
뭐가 이렇게 많죠?

여기서는 방실접합부에 대한 개념이 필요합니다.
방실접합부란 방실결절, 방실다발, 다발갈래를 포함하는 것으로 이 곳에서 발생되는 차단을 배울거예요.
보통 PR interval에 영향을 주지만, 방실다발 이하에서 차단이 발생하는 경우 QRS complex의 간격이 0.12초 이상으로 연장되기도 합니다.
그럼 1도 방실차단부터 하나씩 살펴볼까요?

1도 방실차단(1st degree AV block)

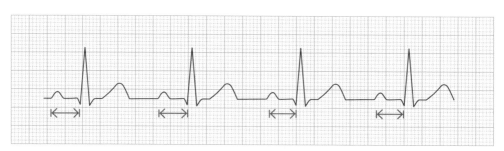

- ⊘ P : 상황에 따라 다름
- ⊘ P : P wave 정상. **PR interval >0.20 s**
- ⊘ Q : 정상
- ⊘ R : 규칙적인 형태
- ⊘ S : 정상
- ⊘ T : 정상

1도 방실차단은
단순히 PR interval
즉, 방실 전도 시간이
0.2초 이상 길어진 것으로
정의하게 됩니다.

특별한 이유 없이
발생할 수도 있다고
들었어요.

>>> <mark>1도 방실 차단</mark>의 경우 일반적으로 흥분 신호가 심실로 전도 되기 때문에 임상적으로 거의 중요하지는 않습니다. 하지만 드물게 새로 발생한 1도 방실 차단에서 더 높은 단계의 방실 차단으로 진행하는 경우가 있기 때문에 심전도 모니터가 필요할 수 있단 사실도 기억해두세요.

2도 방실차단은 심방을 거쳐온 자극 중 하나 이상의 전도 장애로 인해 심실로 전도되지 않는 경우를 말합니다.

이건 더 어려운데요? PR interval이 점점 늘어나요?

2도 1형 방실차단(Mobitz Ⅰ, 2nd degree AV block)

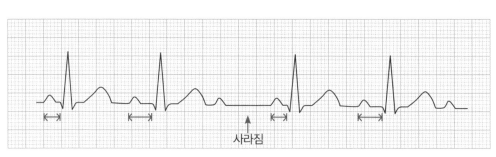

사라짐

- ✅ P : 상황에 따라 다름
- ✅ P : **주기적으로 P wave 다음에 QRS군이 나오지 않는다.**
  (P wave= QRS complex -1). QRS complex가 빠지기 전까지 PR interval은 점진적으로 늘어난다.
- ✅ Q : 대체로 정상
- ✅ R : **불규칙한 규칙 형태**
- ✅ S : 정상
- ✅ T : 정상

P wave와 QRS complex의 비율은 5:4, 4:3 또는 3:2인 경우가 많다.

>>> 그 중 **2도 1형 방실차단**은 보통 방실결절 수준에서 차단이 발생된 경우를 말합니다. 전도 지연이 심장 박동에 따라 점차적으로 증가하다가 심실 전도가 차단되는 것으로, 굴심방결절이 다시 박동을 조율하면서 방실 전도는 다시 기능을 회복하게 되죠.
2도 2형 방실 차단에 비해 상대적으로 흔하며,
3도 방실차단으로 진행하는 경우는 극히 드물죠.
증상이 없는 경우 처치가 필요하진 않지만, 심실 박동 차단이 전체 심장 박동수와 심박출량에 나쁜 영향을 주면,
아트로핀 투여나 경피적 심박동 조율이 필요할 수도 있습니다.

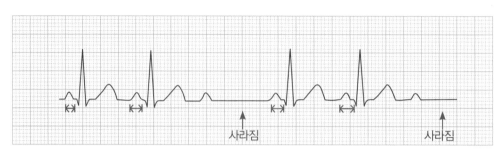

사라짐   사라짐

- P : 상황에 따라 다름
- P : **주기적으로 P wave 다음에 QRS군이 나오지 않는다**(P wave 〉 QRS complex).
  PR interval은 대부분 일정하지만 비정상일 수도 있다.
- Q : 대체로 정상
- R : **불규칙한 규칙 형태**
- S : 정상
- T : 정상

이건 또 뭔가요?

2도 2형 방실차단입니다.
아까와는 다르게
PR interval이 비슷하죠?

그림으로 쉽게 배우는 심전도

≫ **2도 2형 방실차단** 또한 심방의 흥분 신호가 심실로 전달되지 않을 때 발생합니다. 대부분 방실결절 이하에서 차단이 발생되고 이 경우, 갑자기 완전 방실 차단으로 진행되기도 해서 주의가 필요하죠.
2도 1형 방실차단 보다는 드물게 나타나지만 예후가 나쁠 수 있습니다.

마지막으로
3도 방실차단입니다.

제일 무서운 건가요?

3도 방실차단(완전 방실 차단, 3rd degree AV block)

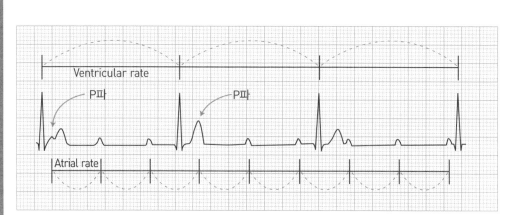

- P : 심방 박동수와 심실 박동수가 분리 (방실해리)
- P : P wave는 QRS와 무관하게 나타난다. PR interval은 없다.
- Q : 대부분 0.12 s 이상
- R : 불규칙한 규칙 형태
- S : 정상
- T : 정상

QRS complex가
만들어지는 곳은
방실 접합부 또는
심실 내 어느 곳이
된다.

>>> 3도 방실차단은 심방자극이 심실로 전혀 전달되지
못하고 심방과 심실은 각각의 리듬을 유지하게 됩니다.
따로 따로 역할을 한다고 보면 됩니다.
발작성이거나 만성적이고 심한 방실 차단의 경우,
인공 심박동기 삽입이 일차적 치료가 된다는 것도
알아두면 좋겠죠?

>> 비정상 Q, Q wave/QRS complex

☞ 비정상 Q, Q wave

폭(너비)가 0.03초 이상, 높이가 R파의 높이 1/3 이상인 경우를 말합니다.

☞ 비정상 Q, QRS complex

폭넓이가 0.06초 미만이거나 0.10초 이상인 경우, 높이가 사지유도에서 20mm이상, 흉부유도에서 30mm이상인 경우를 말하며, P와의 비율이 1:1이 아닌 경우를 말합니다.

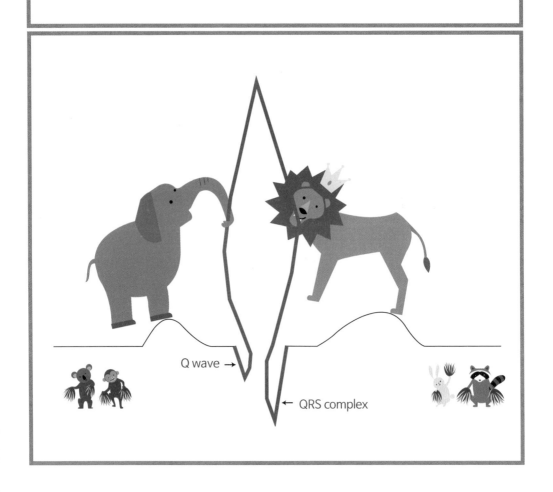

Q wave →

← QRS complex

제가 좋아하는 Q에
대한 내용이군요.

Q wave와 QRS complex에
대해 공부해 볼 텐데요.
Q wave는 뒤에 심근경색과
함께 공부하면 더 좋을 것 같아요.

점점 공부해야 할 부정맥이 많아지네요.

좋아하는 것 만큼 집중해서 공부한다면 이번 수업도 크게
어렵지 않을 겁니다.

자, 그럼 비정상 Q wave부터 살펴 볼까요?

비정상 Q wave의 기준

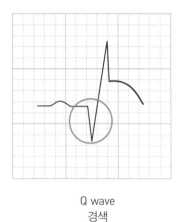

Q wave
경색

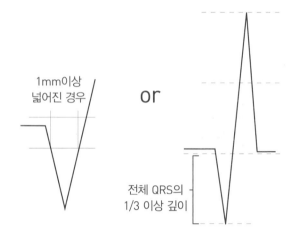

1mm이상
넓어진 경우

or

전체 QRS의
1/3 이상 깊이

Q wave가 유도 I, AVL,
V₆에서 그려진 경우 이것은
정상일 가능성이 높습니다.

그럼 그 외의 유도에서
보이면 비정상인
건가요?

>>> 맞습니다. 다른 유도에서 나타나는 Q wave는 병적(비정상)
Q wave라고 보면됩니다.
Q wave가 1mm이상 넓어진 경우나 전체
QRS complex의 1/3이상 깊어진 경우를 말하죠.
심근경색(MI), 즉 국소적 만성 심근 경색을 의미하는
심전도 변화가 병적 Q wave입니다.
심근 경색에 대한 자세한 이야기는 비정상 S를
공부할 때 더 하도록 합시다.

그럼 비정상 QRS complex를 보일 수 있는 부정맥들에 대해 이야기 해주시겠어요?

심실에 문제가 생겨 발생한 부정맥들이겠네요?

비정상 Q, QRS complex

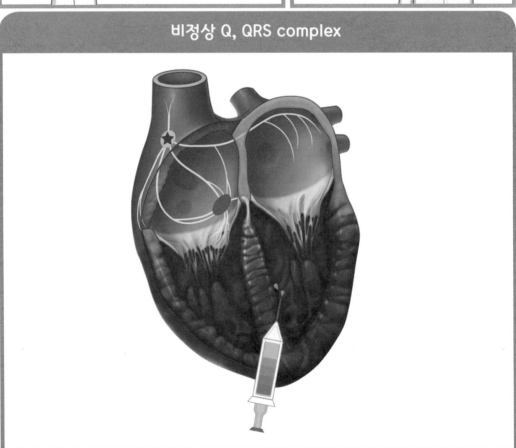

≫ 네 맞아요.

다음은 비정상 QRS complex를 보일 수 있는 대표적인 부정맥들입니다. 하나 하나씩 살펴보도록 합시다.

① 다발갈래차단 (Bundle brunch block)

② 심실조기수축 (Ventricular premature contraction)

③ 심실빈맥 (Ventricular tachycardia)

④ 심실세동 (Ventricular fibrillation)

전기전도계 세부 구조

오른갈래

왼갈래

왼 앞 다발갈래

왼 뒤 다발갈래

오른심실

사이막(중격)

왼심실

다발갈래차단부터
보겠습니다.

무슨 해파리 같은데요?

>> 다발갈래차단은 오른 다발갈래차단, 왼 다발갈래차단, 작은 다발갈래차단으로 나눌 수 있습니다.

오른 다발갈래는 길고 가는 형태로 오른 심실에 분포하게 되며, 왼 다발갈래는 짧고 두껍고 편평한 형태로 심실 사이막(중격)과 왼심실에 분포하죠.

왼 다발갈래의 경우 비교적 길고 가는 왼 앞 작은 다발갈래와 왼 뒤 작은 다발갈래로 나뉘게 됩니다. 왼 앞 작은 다발갈래는 심실중격의 왼쪽 변면 앞쪽에 위치해 왼심실의 전면벽과 측면벽 전도에 관여하며 왼 뒤 작은 다발갈래는 왼심실 뒷면 전도에 관여하고 있죠.

전도가 차단되는 위치에 따라 심전도 변화형태와 예후도 달라질 수 있습니다. 작은다발갈래에서 각각 차단이 일어나게 되는 경우, 작은다발갈래차단 (반차단, Hemiblock)으로 구분됩니다.

Check Point

- 다발갈래차단(각차단, Bundle branch block)
  · 오른 다발갈래차단(우각차단, RBBB)
  · 왼 다발갈래차단(좌각차단, LBBB)
   ① 왼 앞 작은 다발갈래차단(Left ant, fascicular block)
   ② 왼 뒤 작은 다발갈래차단(Left post, fascicular block)

그럼 각 위치에 따른 차단에 대해 이야기 해볼까요?

QRS complex의 형태가 뿔이나 귀모양 인데요?

다발갈래차단에서의 QRS complex의 형태

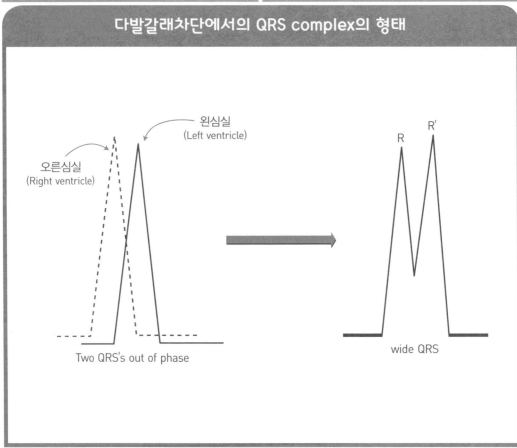

오른심실
(Right ventricle)

왼심실
(Left ventricle)

Two QRS's out of phase

R   R'

wide QRS

≫ 왼 다발갈래차단에선 왼심실 수축이 늦어지고, 오른 다발갈래차단에서는 오른심실 수축이 늦어진다고 생각하면 이해가 빠르겠네요. 따라서 상대적으로 오른쪽에 위치한 V_1과 왼쪽에 위치한 V_6에서 특징적인 변화가 나타나게 됩니다.

완전 다발갈래차단의 경우 QRS complex의 너비가 0.12초 이상으로 넓어지고, 불완전 다발갈래차단의 경우 0.1~0.11초 정도의 너비를 갖게 되죠.

V_1

V_6

오른 다발갈래가 차단되었을 때 왼 다발갈래로는 정상 전도가 일어나게 되지만 심실 사이막 (중격)과 오른심실로의 전도는 지연 되게 됩니다.

V_1에선 오른쪽 R' wave가 크네요. 토끼 귀처럼 생겼어요~

그림으로 쉽게 보는 심전도

>>> 느린 재분극과 심전도 상 0.12초 이상의 지연된 QRS complex는 모든 Complete BBB의 특징적인 소견이라 할 수 있습니다. 오른심실 방향으로 서서히 전도되는 파형에 의해 V_1과 V_2에서는 RSR' complex(R'>R)를, 유도 I과 V_6에서는 깊고 둔한 S wave가 특징적으로 나타나게 됩니다.

너무 어려워요~

오른 다발갈래차단 (RBBB, Right bundle branch block)

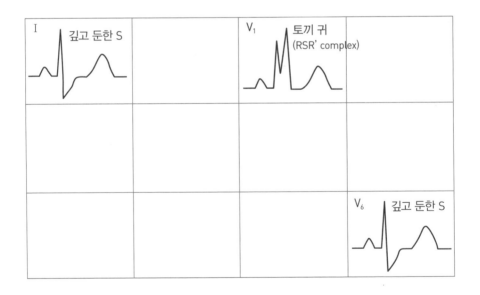

I 깊고 둔한 S		V₁ 토끼 귀 (RSR' complex)	
		V₆ 깊고 둔한 S	

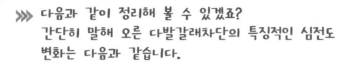 다음과 같이 정리해 볼 수 있겠죠?
간단히 말해 오른 다발갈래차단의 특징적인 심전도
변화는 다음과 같습니다.

- ⊘ QRS complex $\geq$ 0.12초
  (불완전 차단인 경우 0.1~0.11초)
- ⊘ 유도I、V_6에서 깊고 둔한 S wave
- ⊘ V_1에서 $RSR^{'}$ complex

오른 다발갈래차단은 관상동맥질환과 연관이 있지만
대부분의 경우 심근경색과는 무관합니다.
일부 새로 발생한 오른 다발갈래차단의 경우는 위험할 수
있으니 주의해야겠죠?

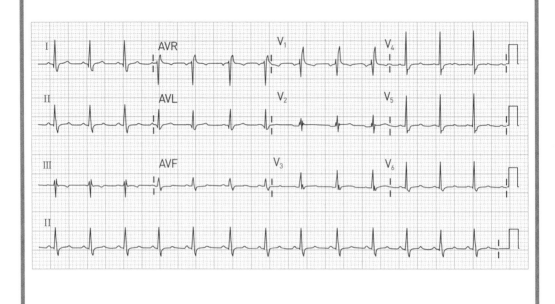

자 이제
오른 다발갈래차단
(RBBB)을 찾아보세요.

어~ QRS의 너비가 0.12초
이상이고 V$_1$에서는 RSR'
complex가 유도 I, V$_6$에서는
깊고 둔한 S wave를 발견
했어요.

심전도 한 번 배워볼까

≫ 참 잘했습니다.
하나만 더 기억해봅시다. 부르가다 증후군이란 질환인데요.
특징적으로 오른 다발갈래차단과 V_1에서 V_3의
ST segment의 상승이 특징적입니다.
이 경우 급성 심정지를 유발할 수 있기 때문에
삽입형 제세동기(ICD) 삽입이 중요합니다.

V_1
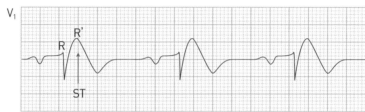

V_2
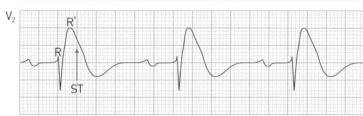

V_3
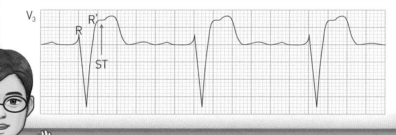

다음은
왼 다발갈래차단(LBBB)
입니다.

왼심실은 중요한 곳인데
상당히 심각하겠는데요?

왼 다발갈래차단(LBBB, Left bundle branch block)

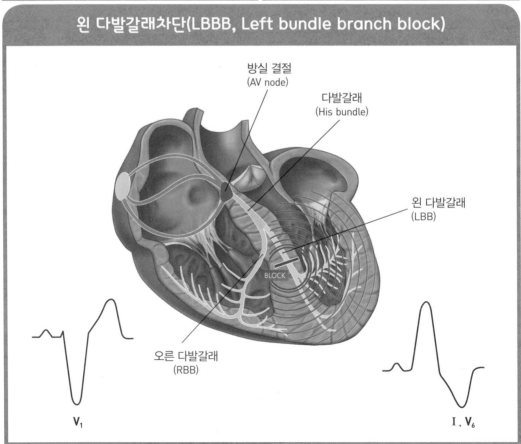

방실 결절
(AV node)

다발갈래
(His bundle)

왼 다발갈래
(LBB)

오른 다발갈래
(RBB)

BLOCK

V₁

I , V₆

≫ 우리가 좀 더 조심스럽게 접근해야 할 부정맥 중 하나죠. 왼 다발갈래차단에서는 오른심실이 왼심실보다 먼저 흥분하기 때문에 폭이 넓은 QRS complex의 시작부분이 오른심실의 탈분극을 나타냅니다.

왼 다발갈래차단(LBBB, Left Bundle Branch Block)

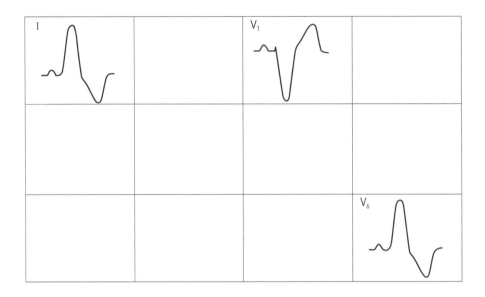

이건 QRS complex의 형태가 전체적으로 넓네요.

왼 다발갈래차단의 특징적인 심전도입니다.

>>> 왼 다발갈래차단(LBBB)의 특징적 심전도변화를 다음과
같이 정리해볼 수 있습니다.
왼 다발갈래차단은 특히 연령이 증가할수록 나타나는
빈도도 높아질 수 있는데요. 정상인이라 해도 심혈관질환으로
인한 사망이나 기타 사망의 위험을 증가 시킬 수 있습니다.
기본적으로 QRS는 0.12초로 넓어져있고, V_1은 S wave가
V_6은 R wave가 넓게 상승 또는 하강합니다.

왼 다발갈래차단(좌각차단, LBBB)

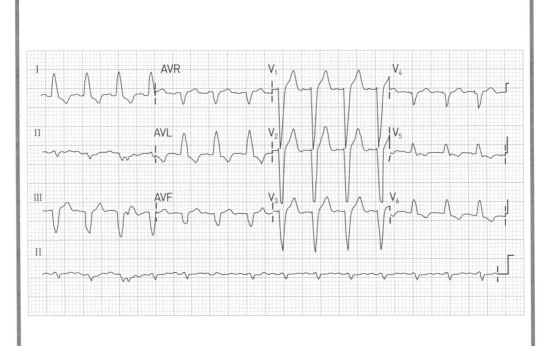

>>> 이번에도 잘 찾았네요!
Wide QRS! 다발갈래차단을 항상 먼저 떠올릴 수
있겠죠?

왼 앞 작은 다발갈래차단(Left anterior fascicular (Hemi) block)

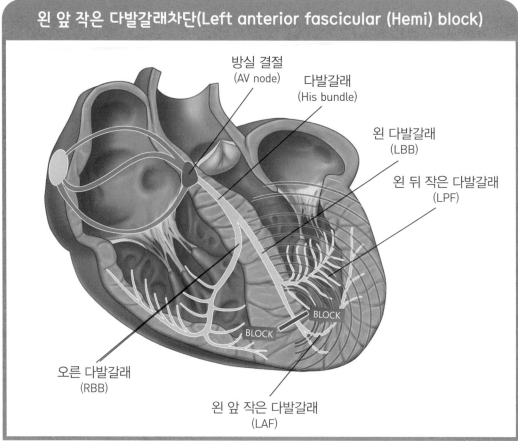

방실 결절
(AV node)

다발갈래
(His bundle)

왼 다발갈래
(LBB)

왼 뒤 작은 다발갈래
(LPF)

BLOCK

BLOCK

오른 다발갈래
(RBB)

왼 앞 작은 다발갈래
(LAF)

왼 다발갈래의 경우 크게
왼 앞 작은 다발갈래가
차단되었을 때,
왼 뒤 작은 다발갈래가
차단되었을 때 2가지로
나뉘게 됩니다.

이런 경우를 반차단
즉, 작은 다발갈래
차단(hemiblock)
이라고 한다는 거죠?

>>> 왼 앞 작은 다발갈래가 차단되었을 때는 왼심실의
탈분극이 심실중격, 하벽 및 후벽에서 전벽, 측벽쪽으로
진행하게 됩니다.
왼쪽 위쪽으로 향하는 방해받지 않는 벡터를 형성하면서
병적인 좌축 편위를 일으키게 됩니다.
유도Ⅰ 에서 작은 Q파 뒤에 나오는 높은 R파,
유도Ⅲ 에서 작은 R파 뒤에 나오는 깊은 S파를
특징적으로 볼 수 있습니다.

 Check Point

왼 앞 작은 다발갈래의 특징적 심전도 소견

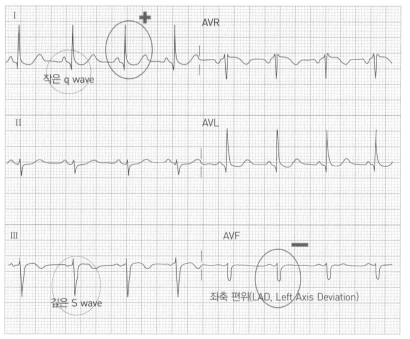

I
AVR
작은 q wave

II
AVL

III
AVF
깊은 S wave
좌축 편위(LAD, Left Axis Deviation)

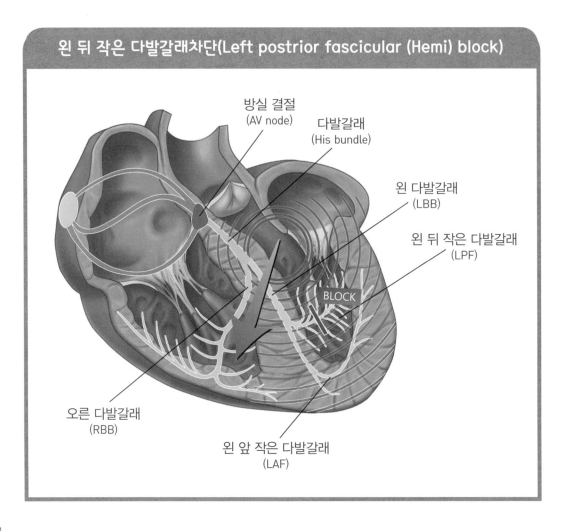

방실 결절
(AV node)

다발갈래
(His bundle)

왼 다발갈래
(LBB)

왼 뒤 작은 다발갈래
(LPF)

BLOCK

오른 다발갈래
(RBB)

왼 앞 작은 다발갈래
(LAF)

>>> 반면 왼 뒤 작은 다발갈래는 차단되기 어려운 구조를 가져 매우 드물게 발생합니다. 왼 뒤 작은 다발갈래가 차단되면 왼심실의 후벽, 하벽의 탈분극이 지연되고 방해 받지 않는 벡터가 오른쪽 아래를 향하여 우축 편위를 일으키게 됩니다. 심실 중격, 왼심실의 전벽 및 측벽을 탈분극시키는 벡터는 간섭받지 않아 유도 I 에서 작은 r파를 AVF에서 작은 q파를 형성하게 되죠.

심실에서 기인된 대표적인 부정맥 심실조기수축(Ventricular premature contraction)부터 살펴 볼까요?

심실조기수축(Ventricular premature contraction)

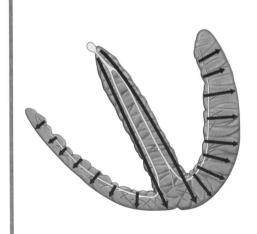

정상

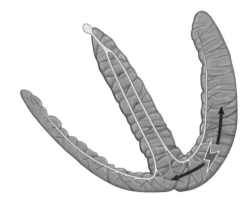

조기 탈분극

정상 심장의 경우 좌,우의 다발갈래(Bundle branch)는
심실 탈분극의 전기적 흥분을 매우 신속히 전달하기
때문에 매우 좁은 QRS complex를 그리게 됩니다.
하지만 심실조기수축의 흥분 즉, 심근의 전기적 흥분은
매우 천천히 전도되어 정상보다 넓은 형태의
QRS complex를 그리게 되죠.

이런 건 왜 일어나는 거죠?
심각한 건가요?

심실조기수축(Ventricular premature contraction)

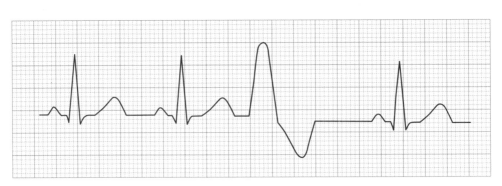

- P : 상황에 따라 다름
- P : P wave는 존재할 수도 있지만 심실조기수축과는 관련이 없다.
  PR interval은 없다.
- Q : 대부분 QRS complex 0.12초 이상으로 비정상적 모양을 갖는다.
- R : **불규칙한 형태**
- S : 정상
- T : 정상

한눈에 쏙쏙 들어오는 심전도

이유는 다양합니다. 하지만 심실조기수축의 경우 건강한
사람에서도 특별한 원인 없이 발생하죠.
증상이 없거나, 알려진 심장질환이 없는 환자에서는
거의 치료가 필요하지 않습니다.

심실조기수축에서 이단맥과 삼단맥에
관해서도 설명해 주시겠어요?

심실조기수축의 유형

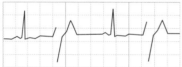

이단맥(Ventricular Bigeminy) 정상1 : 비정상 1

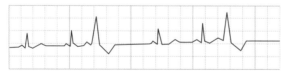

삼단맥(Ventricular Trigeminy) 정상2 : 비정상 1

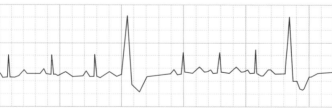

사단맥(Ventricular Quadrigeminy) 정상 3 : 비정상 1

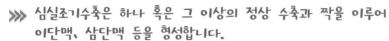

>> 심실조기수축은 하나 혹은 그 이상의 정상 수축과 짝을 이루어
이단맥, 삼단맥 등을 형성합니다.
한 개의 정상 수축과 한 개의 심실조기수축이 교대로 나타나면
이단맥, 두 개의 정상 수축과 한 개의 심실조기수축이 교대로
나타나면 삼단맥이라 부르게 되죠. 심실조기수축의 모양에 따라
다원형과 단원형으로도 구분되며, 연속되어 나타나는 경우
연속형으로 구분할 수도 있습니다.
심실조기수축은 심장질환이 없는 경우에도 나타날 수 있는
매우 흔한 부정맥입니다. 심장박동의 이상을 느끼는 경우
환자가 불안해 할 수도 있지만 보통 심각한 징후와 증상을
일으키지는 않죠.
하지만 심장질환이 있는 환자에서는 심실조기수축으로
인해 완전한 심실 충만이 일어나지 않으면서 치명적인
심실 부정맥을 유발할 수 있다는 것도 알고 있어야 합니다.

심실빈맥(Ventricular tachycardia)

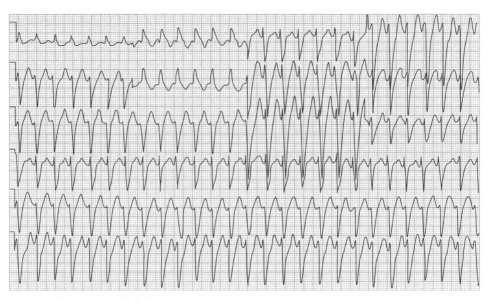

- ◎ P : 보통 100~250회/분
- ◎ P : P wave는 존재할 수도 있지만 심실수축과는 관련이 없다. PR interval은 다양하다.
- ◎ Q : 대부분 QRS complex 0.12초 이상으로 비정상적 모양을 갖는다.
- ◎ R : 규칙적이지만 약간 불규칙할 수도 있다.
- ◎ S : –
- ◎ T : –

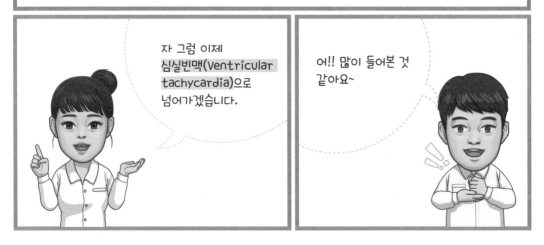

자 그럼 이제 심실빈맥(Ventricular tachycardia)으로 넘어가겠습니다.

어!! 많이 들어본 것 같아요~

>>> 맞아요. 응급 상황에 있어 중요한 부정맥이죠.
심실빈맥은 연속된 3개 이상의 심실복합체가 분당 100회
이상의 박동수를 유발하는 부정맥입니다. 심방과 심실이
서로 순차적으로 박동하지 못하는 상태라 때때로 의식
소실이나 맥박 소실을 유발하죠. 또한 뒤에 배울 심실세동을
유발할 수도 있습니다. 혈역학적으로 불안정할 경우,
심근허혈 등의 중요한 문제를 유발할 수 있기 때문에
전기 치료나 약물치료 등을 통해 빨리 종료시켜야 합니다.

다형성 심실빈맥
(Torsade de points)은
특수한 형태의 심실빈맥으로
물결치는 곡선 등의 형태를
보이는 부정맥이죠?

전자파 같은데요.

다형성 심실빈맥(Torsade de points)

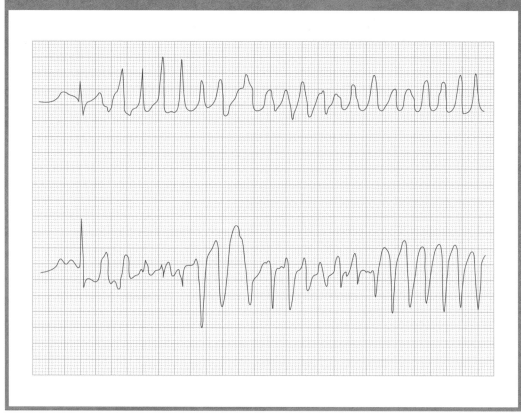

≫ 이 경우 연장된 Q-T interval에 의해 발생되며, 전해질 불균형이 주 원인일 수 있습니다. 따라서 전해질 교정, 특히 마그네슘이 치료에 도움이 될 수 있습니다.

심실세동(Ventricular fibrillation)

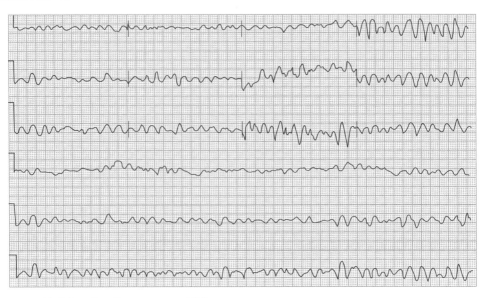

◎ P : 심실전도가 보통 300~350회/분

◎ P : P wave, PR interval은 없다.

◎ Q : QRS complex 은 없다.

◎ R : 불규칙

◎ S : –

◎ T : –

자 이건 뭘까요?

마음대로 그린 낙서
같은데요?

>>> 이것은 심실세동(Ventrcular fibrillation)입니다.
급성 심장정지에서 가장 흔하게 보이는 초기 리듬으로
잘 알려져 있죠. 심실의 떨림 즉, 심실 여러 부위가
불규칙하게 수축, 확장하여 심박출량을 소실하게 됩니다.
이 때는 QRS complex나 T wave를 감별할 수 없습니다.
심실세동이나 맥박이 만져지지 않는 심실빈맥의 경우
전기치료(제세동)가 즉각적으로 이루어져야하며
제세동기를 바로 사용하지 못하는 상황인 경우
심폐소생술을 시행해줘야 합니다.
3∼5분 이내 적극적인 치료를 하지 않으면 환자가
사망할 수 있습니다.

Check Point

자동제세동기
(AED, Automated external defibrillator)

제세동은 심실세동 및 무맥성 심실빈맥의
가장 일반적인 치료방법이다. 자동제세동기는 일반인도
사용할 수 있도록 만든 것으로, 자동적으로 분석하고
환자에게 전기충격이 필요한지 알려주도록 되어 있다.

QRS complex에 영향을 줄 수 있는 다른 경우들도 살펴 볼까요?

뭐가 이렇게 많죠?

비정상 QRS complex의 원인

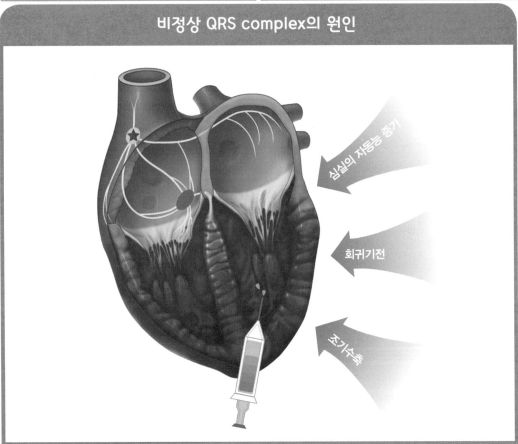

심실의 자동능 증가

회귀기전

조기수축

≫ 다른 경우들은 주로 아래와 같은 심실리듬 장애가 원인이 됩니다.
① 심실의 자동능 증가
② 회귀기전
③ 심장, 방실접합부 또는 두 부위 모두에서 전기 신호를 생성하는데 실패하면서 발생(조기수축 등)

심실에서 기인한 부정맥들도 QRS complex에서 이상소견을 보이게 됩니다. 심실의 전기 신호는 심장 아래쪽 다시 말해, 심근, 갈래다발, 푸르키니에 섬유에서 시작이 되죠.

☞ 비정상 R, Regularity

R-R간격의 동일성 및 규칙성이 깨진 것을 말합니다.

◉ 정상 Regularity
R-R간격 거리가 같습니다.
0.16초 이내 (작은 사각형 4개)의 차이가 납니다.

◉ 비정상 Regularity
① 주기적인 불규칙(반복적 유형의 불규칙성)
② 불규칙적인 불규칙
0.16초 이내 (작은 사각형 4개)의 차이가 납니다.

자, 그럼 PPQRST의
비정상 'R'이
의미하는 것이 무엇인지
살펴볼까요?

너무 복잡한 것들만
봐서 그런지
많이 힘들어요.

비정상 'R'에 대한 내용은 간단합니다.
심장은 규칙성을 가지고 '쿵쿵쿵' 뛰게 되죠.
이러한 규칙성이 깨지게 되는 경우 심전도에 나타나는데,
쿵 쿵 쿵쿵쿵 쿵 쿵쿵... 완전히 불규칙한 경우와
쿵 쿵쿵 쿵 쿵쿵 쿵 쿵쿵... 불규칙하지만 그 안에서
규칙성을 가지고 뛰게 되는 경우로 나뉠 수 있어요.
어렵지 않죠?

INTRO 05 >> 비정상 S, ST segment

☞ 비정상 S, ST segment

- 앞쪽 심근경색(Anterior wall MI)
- 가쪽 심근경색(Lateral wall MI)
- 아래쪽 심근경색(Inferior wall MI)
- 뒤쪽 심근경색(Posterior wall MI)
- 오른 심실경색(RV infarction)

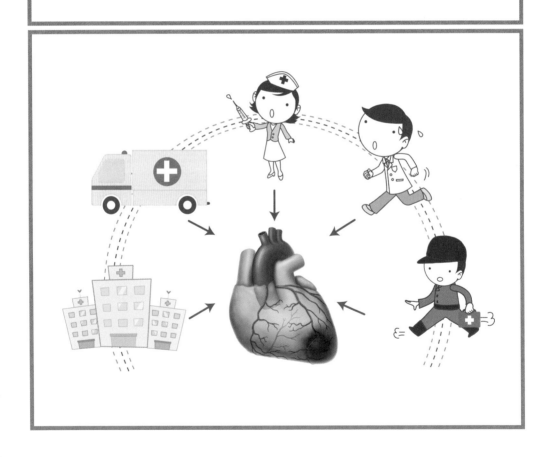

짜잔~ 뭘 공부할 지
짐작이 되나요?

드디어 심근경색에
대해 공부하는 군요.
떨려요~

가장 중요한 부분을 공부할 차례입니다.

물론 지금까지 배웠던 부정맥들도 응급상황으로 이어질 수
있을 만큼 중요했지만, 특히 "심근경색"은 꼭 찾아낼 수
있어야 해요.

ST Segment의 변화는 관상동맥질환과 관련 있어 특히 주의해서 판독하고 신경을 써야 하는데요.

관상동맥질환의 경우 심전도와 관상동맥조영술 등을 통해 진단할 수 있다고 배웠어요.

관상동맥질환에 의한 심근 괴사

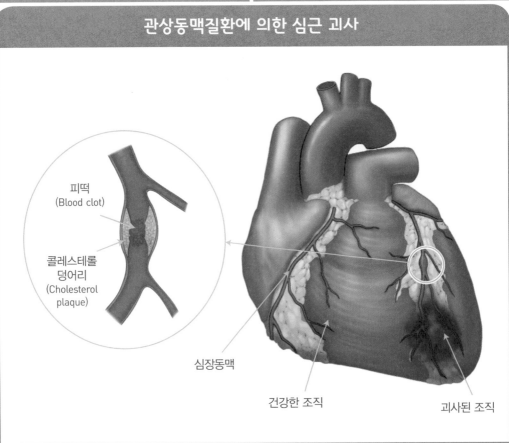

피떡
(Blood clot)

콜레스테롤 덩어리
(Cholesterol plaque)

심장동맥

건강한 조직

괴사된 조직

심장동맥이 일부 혹은 완전히 막혔을 때
심장근육은 허혈→손상→경색(괴사)으로 진행되지만
꼭 이 과정을 순서대로 밟게 되는 것은 아닙니다.
이런 심장근육의 상태를 응급실이나 병원 전 단계에서는
심전도를 통해 빠르게 진단할 수 있는 거죠.

관상동맥질환에서의 심전도 변화 양상

정상상태

허혈

경색

다음은 관상동맥질환
환자에서 심전도 변화를
보여주고 있는 그림인데요.

ST분절이 점점
올라오네요.

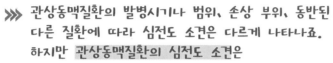

>> 관상동맥질환의 발병시기나 범위, 손상 부위, 동반된
다른 질환에 따라 심전도 소견은 다르게 나타나죠.
하지만 관상동맥질환의 심전도 소견은

1. 병적 Q wave
2. ST segment 상승 또는 하강
3. T wave 역위
4. 초급성 T wave 중, 하나 혹은 그 이상을 공통적으로
   보이게 됩니다.

ST Segment의 상승과 하강에 대해 더 자세히 배워볼까요?

제일 중요한 부분이네요.

손상부위의 ST segment 상승과 반대편 유도의 ST segment 하강

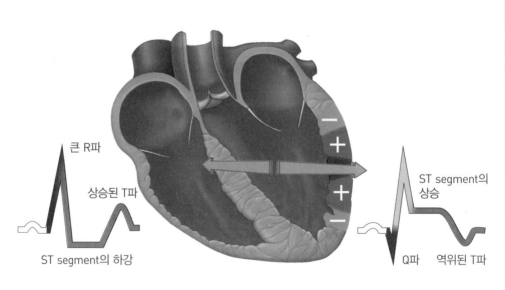

큰 R파

상승된 T파

ST segment의 하강

경색부위의 반대편 유도

ST segment의 상승

Q파   역위된 T파

경색부위의 정면유도

한눈에 쉽게 배우는 심전도

≫ 손상 받은 심근은 손상 받지 않은 심근보다 상대적으로 탈분극 끝에 전기적으로 더 양성을 띠게 되고, 손상 받은 부위에 **ST segment** 상승을 나타내게 합니다.
손상 받은 부위 맞은편 즉, 손상 받지 않은 심근의 심전도 유도에서의 반향적 변화(Reciprocal change)로 **ST segment** 하강을 그리게 되죠.

 Check Point

급성 심근경색에서 ST segment 상승 기전

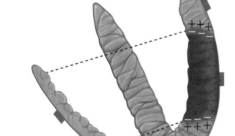

정상 심내막의 정면유도

a.

경색 부위의 정면유도

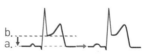

b.
a.

경색 부위의
반대편 유도

■ 허혈 부위
■ 경색 부위

a. --- 정상 ECG 기저선
b. --- 비정상 ECG 기저선

T wave의 역위는 뭘까요?

뭔가 시간이 지났다는 것 아닐까요?

심근 허혈 위치에 따른 심전도 변화

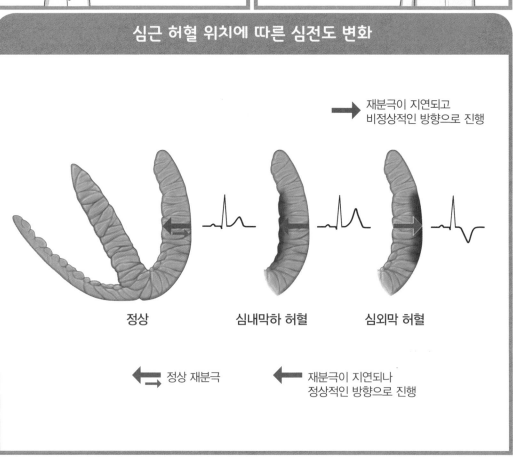

재분극이 지연되고 비정상적인 방향으로 진행

정상　　　　심내막하 허혈　　　　심외막 허혈

정상 재분극

재분극이 지연되나 정상적인 방향으로 진행

≫ **T wave 역위** 즉, 음성 또는 하강의 경우 전층 심근 허혈시 재분극이 지연되고 허혈부위는 비허혈부위보다 전기적으로 더 음성전위를 띠게 되어 나타나게 됩니다.

반면 **초급성(Hyperacute) T wave**는 심내막하에서 재분극 지연으로 인해 정상보다 높고 뾰족한 **T wave**를 그리는 것으로 설명될 수 있습니다.

심내막하에 국한된 허혈 시 심외막에서 심내막하에서의 재분극은 정상적으로 진행하게 되는 거죠. 정상 심근의 탈분극은 심내막에서 심외막 방향으로, 정상 심근의 재분극은 심외막에서 심내막 방향으로 진행한다는 것도 알아두세요.

■ 괴사조직

a. 정상 Q파

b. QR파

c. QS파

유도 I, II, V$_5$ 그리고 V$_6$는 (AVR) 보통 의미없는 **Q**파를 가진다. (=중격 Q파)

어!
이건 아까전에 설명됐던
병적 Q wave인데요?

이제 한 번에
알아보네요!

>>> 전위를 띄지 않는 괴사 부위가 재분극 동안 심근에 영향을 줍니다. 이런 경우 비정상적인 음성전위인 병적 Q wave를 나타냅니다.

그렇다면 심전도를 보고
심근경색의 위치를
어떻게 판독할 수 있는지
알아볼까요?

우와~ 그런 것도
알 수 있어요?

심장에서 바라 본 흉부유도의 위치

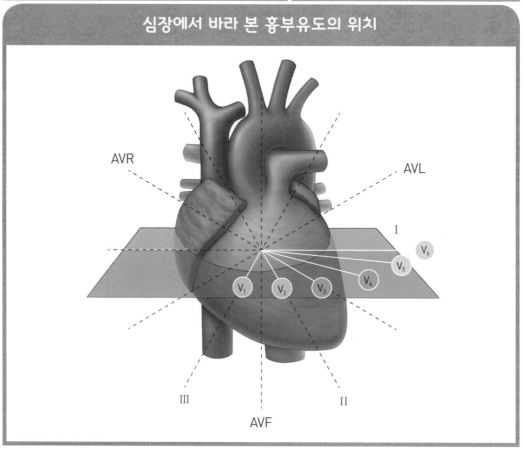

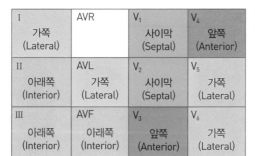

>> 우리는 심전도로 경색 부위가 심장의 어느 부분인지
   그리고 이와 관련된 혈관이 어디인지 예측할 수 있습니다.
   세세하게는 아니더라도 각각의 유도가 반영하고 있는
   심장 부위가 있으니 기억해두면 판독에 도움이 되겠죠?

Check Point

I 가쪽 (Lateral)	AVR	V$_1$ 사이막 (Septal)	V$_4$ 앞쪽 (Anterior)
II 아래쪽 (Interior)	AVL 가쪽 (Lateral)	V$_2$ 사이막 (Septal)	V$_5$ 가쪽 (Lateral)
III 아래쪽 (Interior)	AVF 아래쪽 (Interior)	V$_3$ 앞쪽 (Anterior)	V$_6$ 가쪽 (Lateral)

반향적 변화(Reciprocal changes)가
보여지는 유도:

II,III, AVF → I ,AVL

V$_1$, V$_2$ → V$_7$, V$_8$, V$_9$

심장동맥

대동맥
(Aorta)

왼심장동맥
(Left coronary artery)

오른 심장동맥
(Right coronary
artery)

휘돌이 가지
(Circumflex branch)

오른 모서리가지
(Right marginal
branch)

왼심장동맥의 앞
심실사이가지
(Left anterior
descending
coronary artery)

다음은
심장동맥인데요.

심장은 자체혈관도
있네요.

>> 심장동맥은 크게 왼쪽과 오른쪽으로 나누어져 있습니다. 심장의 근육층과 바깥막에 혈액을 공급하게 되고 왼쪽 심장동맥은 다시 크게 앞심실사이가지와 휘돌이 동맥가지로 나뉘어 왼심실、심실 중격、오른심실 일부에 혈액을 공급하게 되죠. 그리고 오른 심장동맥의 경우 오른전면부 하방동맥과 모서리 동맥으로 나뉘고 오른심방과 오른심실、왼심실 일부、흥분 전도계에 혈액에 공급하게 됩니다. 심장동맥의 해부학적 위치와 심전도 유도가 심장의 어떤 부위를 바라보는지 잘 기억하고 있다면 각 유도에서 발생된 심전도 변화만으로도 심장의 어떤 위치에、어떤 혈관에 이상이 생겼는지 예측할 수 있겠죠?

심전도는 심근경색이
발생된 각각의 위치에
따라 어떤 특징이
나타나게 될까요?

위치마다 다르게
나타난다구요?

심근경색의 유형

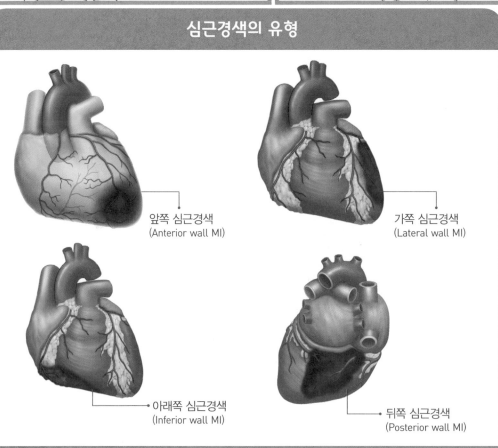

앞쪽 심근경색
(Anterior wall MI)

가쪽 심근경색
(Lateral wall MI)

아래쪽 심근경색
(Inferior wall MI)

뒤쪽 심근경색
(Posterior wall MI)

심근경색은 크게 손상위치에 따라 아래와 같이 나뉠 수 있어요. 물론 단독으로 혹은 복합적으로도 발생될 수 있죠.

- ⊘ 앞쪽 심근경색(Anterior wall MI)
- ⊘ 가쪽 심근경색(Lateral wall MI)
- ⊘ 아래쪽 심근경색(Inferior wall MI)
- ⊘ 뒤쪽 심근경색(Posterior wall MI)
- ⊘ 오른 심실경색(RV infarction)

앞쪽 심근경색(Inferior wall MI)

앞쪽 심근경색입니다.

심장의 앞쪽을 이야기
하는 건가요?

≫ 앞쪽 심근경색 (Anterior wall MI)의 경우
왼쪽 심장동맥의 앞 내림가지 등의 폐쇄에 의해 발생
할 수 있습니다.
유도 V_3、V_4에서의 Q wave 혹은 ST segment 상승
등의 변화를 보고 진단할 수 있습니다.

교수님께서 말씀하신대로 V_3, V_4번에 ST Segment 상승이 보이는데요. V_1, V_2 유도에서도 보여요.

앞쪽 심근경색에서 심전도 변화

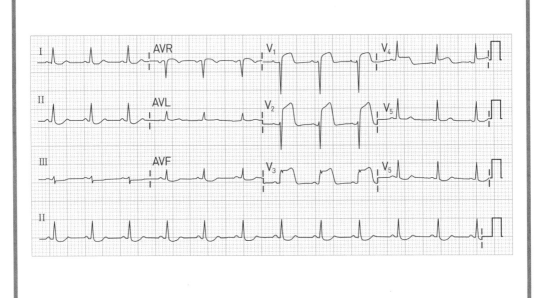

>>> 위 심전도는 사이막을 포함한 앞사이막에 심근경색이 발생한 것을 보여주고 있어요.

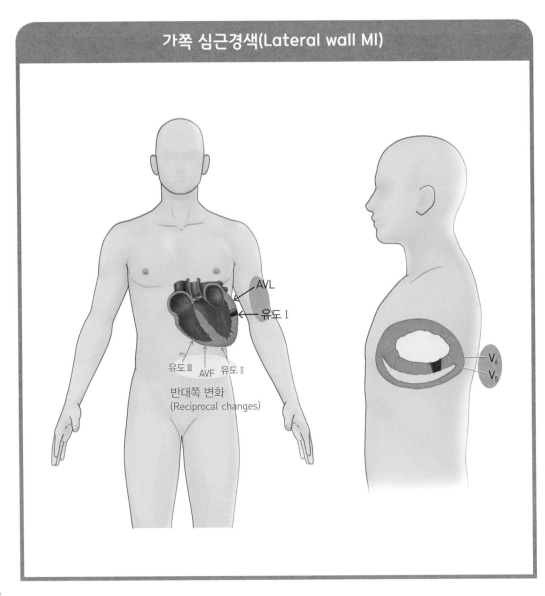

AVL

유도 I

유도 III   AVF   유도 II

반대쪽 변화
(Reciprocal changes)

V₆

V₅

>> <mark>가쪽 심근경색(Lateral wall MI)</mark>의 경우 유도I、AVL、
V₅、V₆에서 관상동맥질환을 의미하는 심전도 변화들이
관찰됩니다.
또한、유도I、AVL의 반대 쪽 유도인 II、III、AVF
에서는 상대적 변화인 ST segment의 하강이 관찰되죠.
왼쪽 심장동맥의 휘돌이 가지(Circumflex branch)등의
폐쇄로 발생하게 됩니다.

가쪽 심근경색에서 심전도 변화

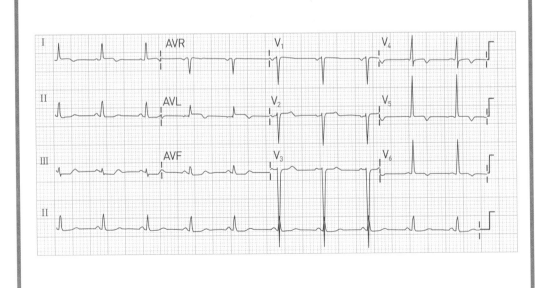

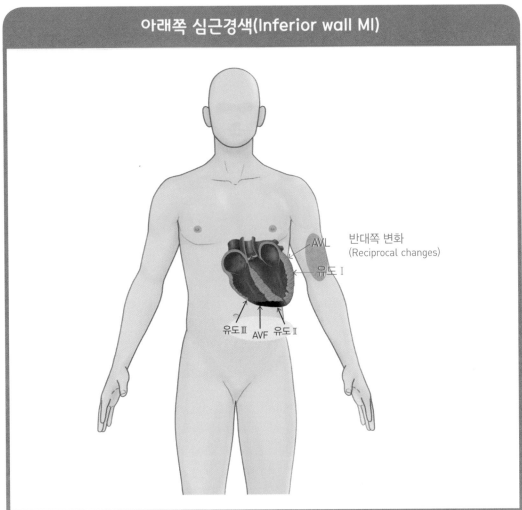

반대쪽 변화
(Reciprocal changes)

AVL

유도 I

유도 III AVF 유도 II

이번에는
아래쪽 심근경색 입니다.

이건 알아요.
II, III, AVF!!

>> 아래쪽 심근경색(Inferior MI)의 경우 유도 II、III、AVF에서 병적 Q wave、ST segment의 상승이 관찰되며 오른쪽 혹은 왼쪽 관상동맥의 폐색에 의해 일어나게 됩니다.
아래쪽 경색의 경우 1/3은 오른심실 경색이 동맥되기 때문에 모든 아래쪽 경색에서는 오른흉부유도의 V_4를 검사해야 합니다.

이것은
오른 심실경색입니다.

이것도 흔한가요?

오른 심실경색(RV infarction)

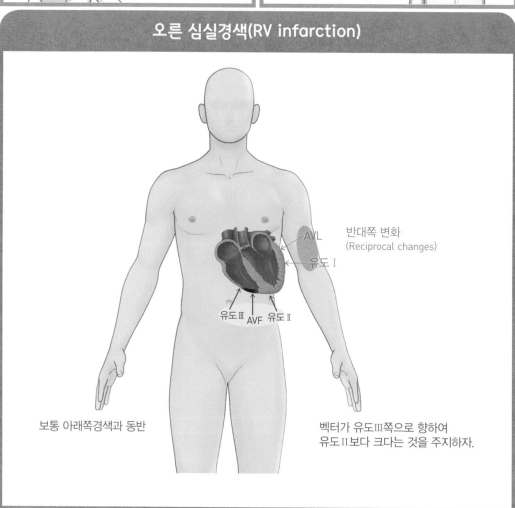

반대쪽 변화
(Reciprocal changes)

AVL

유도Ⅰ

유도Ⅲ AVF 유도Ⅱ

보통 아래쪽경색과 동반

벡터가 유도Ⅲ쪽으로 향하여
유도Ⅱ보다 크다는 것을 주지하자.

>>> 오른 심실경색은 단독으로 발생하는 것은 극히 드물고 대개 합병증이나 다른 경색과 같이 동반되어 발생합니다. 그 중 앞장에서 설명한 하벽 경색이 동반될 확률이 약 30% 정도로 치사율과 심혈관 합병증이 상당히 증가하는 것으로 알려져 있습니다.

이건 뭘까요?

ST Segment에
변화가 없는데요?

아래쪽 심근경색에서 심전도 변화

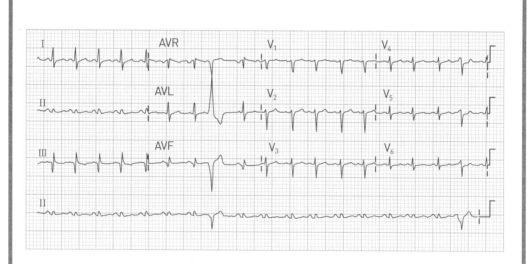

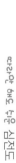

>> 유도Ⅲ、AVF에 너비 0.03초 이상、높이가 QRS complex의 1/3 이상의 병적 Q wave가 관찰됩니다. 아래쪽경색을 의미하는 심전도 소견이겠죠?

이건 뒤쪽심근경색인데요.
이 경우 유도 V1, V2 에서 높은 R wave
혹은 높은 T wave나 ST Segment의
하강을 관찰 할 수 있습니다.

뒤쪽 심근경색(Posterior MI)

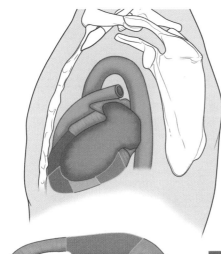

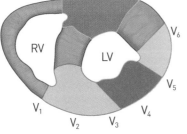

■	앞쪽 심근경색(Anterior Wall MI)
■	앞가쪽 심근경색(Anterolateral MI)
■	앞꼭대기쪽 심근경색(Anteroapical MI)
■	앞사이막 심근경색(Anteroseptal MI)
■	뒤쪽 심근경색(Inferior Wall MI)
■	후벽 심근경색(Posterior Wall MI)

≫ 이 처럼 심전도는 많은 정보를 제공해 주는 매우 유용한 진단도구입니다. 하지만 환자를 볼 때에는 임상적인 관찰과 과거력 등이 급성 심근경색을 진단하는데 있어 가장 중요한 지표가 되고 있다는 것 또한 기억해야겠죠.

INTRO 06 >> 비정상 T, T wave

☞ 비정상 T, T wave

- 고칼륨혈증(Hyperkalemia)
- 저칼륨혈증(Hypokalemia)
- 고칼슘혈증(Hypercalcemia)
- 저칼슘혈증(Hypocalcemia)
- 심근허혈 또는 경색

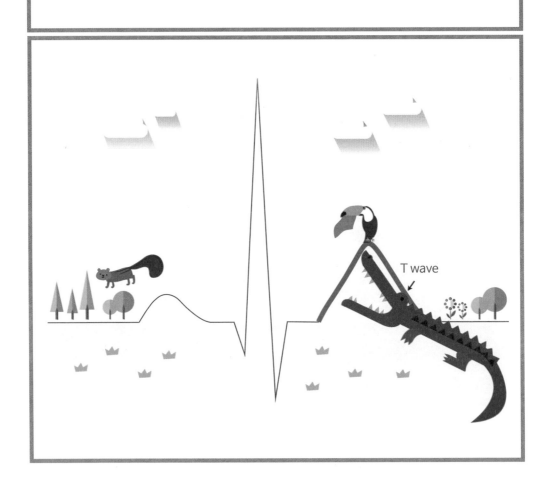

T wave

234

자 마지막
비정상 T에 대한
내용입니다.

드디어
마지막이네요~

마지막까지 고생 많았습니다. 이제 정말 마지막 입니다.

비정상 T wave는 주로 고칼륨혈증(Hyperkalemia)과
심근허혈 또는 경색과 관련이 있습니다.
물론 저칼륨혈증, 고칼슘혈증 및 저칼슘혈증 등의 전해질
불균형이 반영될 수 있지만, 이번시간에는 고칼륨혈증에
대해 공부해보도록 하죠.

교수님 비정상적인 T wave를 통해 진단 가능한 고칼륨혈증과 심근의 허혈에 대해 설명해 주시겠어요?

심근허혈에 대한 T wave의 변화는 비정상 S에서 배웠어요.

칼륨 수치에 따른 심전도 변화

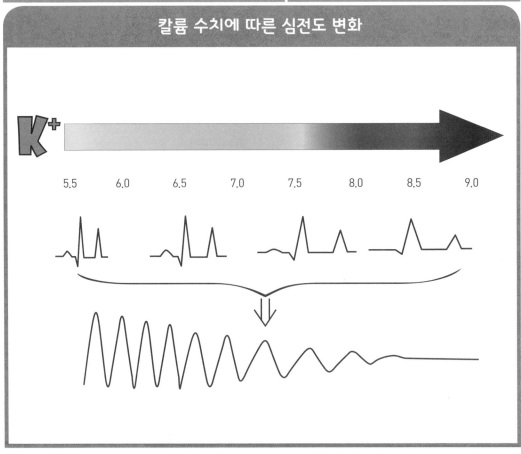

≫ 이번에는 고칼륨혈증 때 변화하는 T wave에 대해 이야기 해보죠.

심전도를 통해 전해질 불균형 또한 진단이 가능합니다.

대표적인 것이 고칼륨혈증이죠.

칼륨의 경우 실제 혈중 농도와 심전도상에 나타나는 소견이 일치하게 됩니다.

고칼륨혈증(Hyperkalemia)의 대표적인 초기 징후는 T wave 변화로 K이 5.5mEq/L 이상일 때 나타나게 됩니다. 물론 전형적인 심전도의 변화는 전체 환자의 약 25%에서만 발생한다는 것도 참고해 두세요.

만약 수치가 상승하면서 심전도가 변한다면 심실세동 또는 무수축과 같은 위험한 형태로 바뀔 수 있습니다.

이것이 전형적인
고칼륨혈증의 심전도입니다.

좁고 높은 T wave가
보이네요.

고칼륨혈증에서 심전도 변화

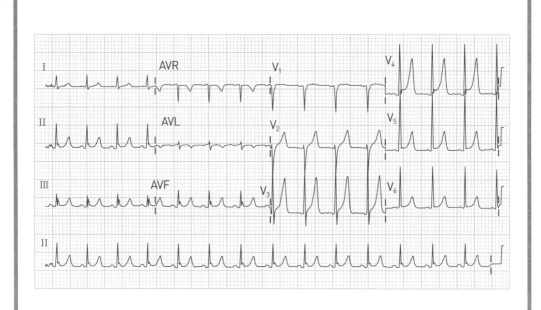

심전도 한 번 제대로

>> 맞습니다. 이렇듯 고칼륨혈증에서는 전형적인 **T wave**의 변화가 나타나며 중탄산나트륨 투여, 관장, 혈액 투석 등의 치료가 이루어집니다.

이번 학기 심전도 수업은 여기까지 입니다. 기초라고는 해도 어려운 심전도 수업을 마지막까지 잘 따라와 주어서 고맙습니다. 이제까지 배운 내용을 토대로 더욱 발전해나가기 바랍니다. 다음 수업 때 봅시다.

 ## Check Point

고칼륨혈증에서 전형적인 T wave의 변화

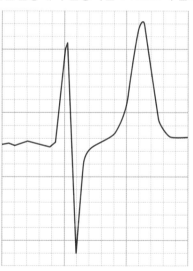

자, 이렇게 해서 심전도의 기초를 함께 공부했습니다.
여전히 어려움을 느끼고 있나요? 그래도 너무 낙담하지 마세요.

반복해서 심전도를 찍어보고, 판독하고, 공부한다면 여러분의
판독 기술이 확연히 좋아지는 것을 느낄 수 있을 거예요.

심전도, 누구나 어려워하는 분야임을 기억하고 꾸준히 노력한다면,
분명 그 이상의 보람과 성취를 얻게 될 것입니다.

본 입문서를 공부한 후 다양한 환자의 심전도를 판독해보고,
심전도 전공서적을 공부해보세요.

그렇게 점점 나아가다 보면 심전도 판독 공부가
더 재미있고 쉽게 느껴질 것입니다.

마지막으로 한 번 더 외워볼까요? "PPQRST !!"

I N D E X

알기쉬운 핵심 심전도

✏️ 심전도 파형을 그려보세요

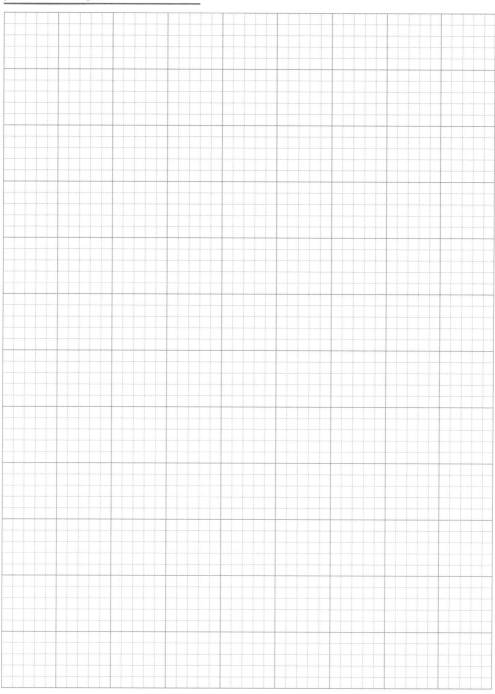

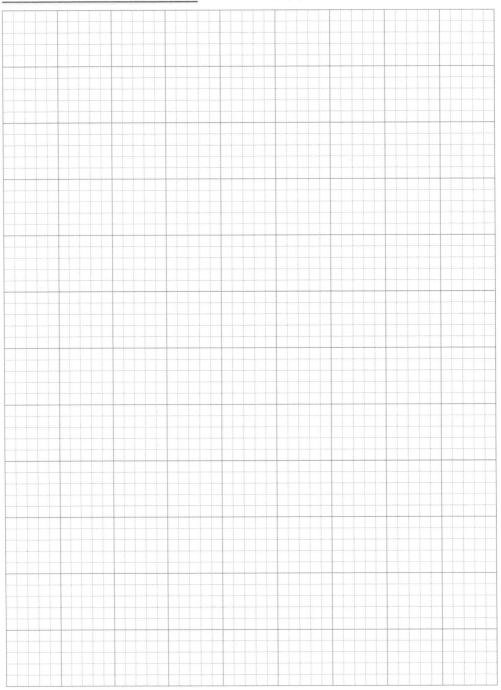